AVERY CORMAN

KRAMER CONTRA KRAMER

BOGOTA - CARACAS - LA PAZ - LIMA - QUITO

Título original: Kramer versus Kramer
Traducción: Aníbal Leal
Dirección Editorial: R.B.A. Proyectos Editoriales, S.A.

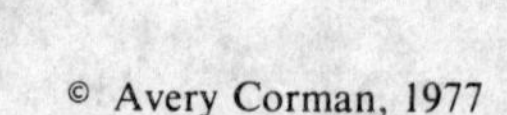

ISBN: 84-8280-900-8 (Obra completa)
ISBN: 84-8280-906-7

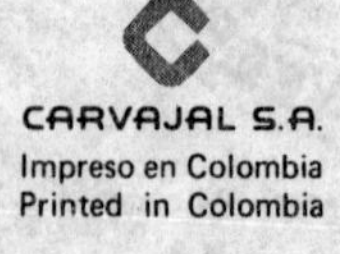

Para mi madre

UNO

No había esperado ver sangre. Para eso no estaba preparado; ni los libros ni el instructor habían hablado de hemorragias o de manchas pardas en las sábanas. Le habían hablado del dolor, y estaba dispuesto a ayudarla a combatir el sufrimiento.

—Querida, estoy aquí. Vamos, aspira ahora —la animó, como un buen soldado debía hacer.

—Uno, dos, tres, expulsa el aire...

—¡Vete a la mierda! —dijo ella.

El deseaba ser miembro del equipo del parto natural para eso había seguido el curso, el compañero útil sin el cual nada hubiera sido posible; pero cuando le permitieron entrar en el cuarto habían comenzado sin él. De tanto en tanto, Joanna gemía «Hijo de puta», y en la cama contigua una mujer gritaba en español llamando a su madre y a Dios, pero ninguno de los dos parecía estar a mano.

—Respiraremos juntos —dijo él animosamente.

El estaba de más. Joanna cerró los ojos para hundirse en el dolor, y la enfermera lo apartó para limpiar la sangre y el excremento.

La primera vez que Joanna le ofreció su vientre para que escuchase «aquello», él había dicho que era un milagro. Lo dijo mecánicamente. En realidad, los primeros signos de vida no le habían interesado. Ella había concebido la idea de tener un bebé, y él habíala aceptado porque lo consideraba el paso lógico y siguiente en el curso del matrimonio. Cuando quedó embarazada, apenas un mes después de quitarse la espiral, él se mostró asombrado. El asunto parecía tener poco que ver con él mismo, era la idea, el bebé y el milagro de su mujer.

Sin duda, se esperaba que mantuviera cierta relación con los cambios químicos sobrevenidos en ella. Lo que le interesaba más en la nueva forma de su cuerpo no era la vida que latía en su interior, sino la presión del vientre femenino sobre la región genital masculina durante la relación sexual. Comenzó a fantasear con lo que debía de ser el sexo con mujeres gordas, y cuando las miraba en la calle se preguntaba si la gracia que tantas mujeres gordas muestran era un gesto de autoengaño desesperado o el conocimiento secreto de indescriptibles placeres sexuales concedidos y recibidos. Ted Kramer, que nunca se permitía perder tiempo mirando las fotografías en el vestíbulo del cine pornográfico que estaba cerca de su oficina, se divertía pensando en las posibilidades financieras de una película pornográfica, *Ted y la mujer gorda.*

Durante el sexto mes, Joanna comenzó a sufrir severas pérdidas. Su ginecólogo, el doctor Anthony Fick, que según la revista *Vogue* era uno de los más eficaces profesionales jóvenes elegibles del mundo occidental, recomendó a Joanna «descanso en cama y aplicación del tapón». Entre Ted y Joanna se entabló una discusión acerca del sentido médico exacto de esta recomendación. Ted hizo una llamada precoital al doctor Fick a las tantas de la noche y éste se mostró irritado por el carácter no urgente de la pregunta, y muy poco complacido de hablar con un hombre, sobre todo porque se trataba de semántica. Dijo que el sentido médico era «mantenerla todo lo posible sobre el culo y nada de jodienda». Ted sugirió que cambiase de médico, pero Joanna se mostró inflexible, y por lo tanto se instalaron cada uno en un extremo de la cama, y allí permaneció Joanna la mayor parte de los tres meses y consiguió completar con éxito su embarazo.

Joanna no manifestó interés en apelar durante este período a sustitutos del amor, pese a que Ted le ofreció citas de uno de los libros destinados a las futuras madres, en el cual se aprobaban oficialmente las variaciones del acto sexual. «La relación sexual entre los muslos puede ser una solución temporaria eficaz.»

Una noche, después que ella se durmió, Ted trató

de masturbarse en el cuarto de baño evocando la fantasía de una mujer gorda que había visto ese día en el metro. Antes de llegar al orgasmo pasó a una fantasía de la propia Joanna, porque no quería engañarla. Como de todos modos su indiscreción originó un sentimiento de culpabilidad, después sublimó sus deseos incorporándose en la obsesión cada vez más acentuada que se manifestaba en la casa acerca de las ropas, los colchones, las cunas, los carritos, las luces nocturnas, los cochecitos, y los posibles nombres del bebé.

La atención que Joanna prestaba a detalles tales como los méritos comparados de las sillas altas con cuentas que el bebé podía mover y las sillas altas sin cuentas, sobrepasaban holgadamente las posibilidades de Ted; y él atribuía al carácter natural de la maternidad el hecho de que ella, que nunca había estado allí, adquiriese con tal rapidez la jerga del oficio. Distinguía dificultosamente entre la *layette* y el *bassinet*, porque hubiera dicho que la *layette* era un lugar donde el bebé debía reposar, aunque en realidad la palabra se refería al ajuar del pequeño; y *bassinet* sonaba como un artefacto para bañar al bebé cuando realmente era un canastillo. En cambio, le pareció más fácil identificar los *parachoques:* se distribuían alrededor de la cuna e incluían material visual de carácter educativo, por ejemplo, conejitos.

Lady Madonna era la tienda donde Joanna compraba sus ropas de maternidad; a él le parecía que el nombre era apropiado, porque ella respondía a todas las ideas que hubiera podido concebirse acerca de la futura madre en guapo. Tenía la piel lustrosa, los ojos vivaces, y era una madonna casta gracias a la sabiduría del doctor Fick. Por su aspecto, Joanna Kramer tenía un aire casi profesional, y con su metro sesenta era muy delgada para que la creyesen una modelo, quizá podía tomársela por actriz, una mujer esbelta y atractiva, con los cabellos largos y negros, la nariz fina y elegante, los grandes ojos castaños, un tanto pechugona para su cuerpo. La chica más bonita de por aquí, decía Ted. La imagen de sí mismo no era tan segura. Era un hombre de discreto atractivo, un metro setenta y cinco, ojos pardos y cabellos castaños claros, un tanto preocupado por su nariz, porque la consideraba excesivamente larga, y por sus cabellos, que habían comenzado a caérsele. Un indicio de la imagen que tenía de sí mismo era que se sentía más atractivo cuando llevaba del brazo a Joanna. Abrigaba la esperanza de que una ironía lamentable no determinase que el niño heredara los rasgos del padre.

Se mostró solícito durante el embarazo; por la noche le llevaba costillas de cerdo, salía a buscar helado, pero ella no tenía ninguno de esos caprichos rutinarios, de modo que él se contentaba llevándole flores todos los días, un gesto que antes hubiera considerado excesivamente romántico.

Por tratarse de una mujer que ya estaba en el séptimo mes, Joanna dormía pacíficamente. Las noches de Ted eran difíciles, dormía intranquilo, y una indefinida inquietud se agitaba casi al alcance de la mano.

En la casa de piedra arenisca de Greenwich Village se habían reunido diez parejas. La promesa de la instructora era que las mujeres llegarían a controlar su propio cuerpo, una afirmación que fue recibida con solemnidad, sin que nadie advirtiese la contradicción de que diez mujeres de vientre hinchado, algunas de las cuales caminaban con dificultad, pudiesen controlar su cuerpo. A los hombres se les prometió que podrían participar activamente en el nacimiento de sus propios hijos. La instructora era una joven entusiasta vestida con malla de gimnasia, la única mujer de vientre liso a la vista; y cuando Ted, en mitad de un comentario acerca de la placenta, comenzó a tener fantasías sexuales acerca de ella y su vientre liso, lo consideró un signo de que había concluido su período de desviación sexual orientada hacia las gordas. Después, aquel vientre con el cual soñaba provocó una serie de choques en el sistema de Ted. Eran diapositivas en color, que la joven proyectó sobre una pantalla, y que mostraban la descripción más gráfica que él había visto jamás del desarrollo del feto, seguido por imágenes de bebés recién nacidos, madres atentas, padres satisfechos. Comenzaba a delinearse un bebé real, no el bebé contenido en un libro u oculto en el vientre de su mujer; en resumen, un ser que respiraba.

Al día siguiente, a la hora del almuerzo, mientras estaba sentado en la escalinata de la biblioteca de la calle Cuarenta y Dos tomando un helado después de haber preguntado el precio de los anuncios de nacimientos en Lord & Taylor, y antes de volver a verificar los precios de las cunas de Saks, comprendió de pronto y lo que había estado oscuro cobró forma. Era miedo. Tenía miedo. Temía que Joanna muriese. Temía que el bebé muriese. Temía que ambos, Joanna y el bebé, muriesen. Temía que todo saliera bien, pero después muriesen. Temía no ser capaz de mantener al bebé. Temía sostenerlo y dejarlo caer. Temía que el bebé naciese ciego, retrasado, tullido, manco o cojo, faltándole algunos dedos, con la pierna hinchada. Temía que a él mismo se le considerase incapaz; temía no ser buen padre. De todo esto, nada dijo a Joanna.

El método que eligió para remediar su miedo fue sepultarlo. Sería como Dios quisiese, y estaba dispuesto a controlarlo todo, a no dejar nada librado a la ignorancia o el azar. Sería el padre mejor instruido y mejor informado que hubiera participado en un parto natural. Durante las clases semanales concentraba todo lo posible la atención. De hecho, recorría el vientre de Joanna con ojos que despedían rayos X, como Superman, y veía la posición del bebé. Cuando Joanna comenzó a sentirse muy incómoda durante el noveno mes, le prestó muchísimo apoyo. A instancias de Ted, todos los días practicaban los ejercicios respiratorios. Era un pre-papá modelo.

Al final del curso acerca del parto natural, en una escuela cercana se proyectó un film de un parto real por métodos naturales. En el público había toda clase de futuros padres y vientres de diferentes formas. Sintió cierta afinidad con aquella gente y sonrió a varios desconocidos. El film concluyó. Había terminado el curso. Ted Kramer estaba pronto para tener el bebé.

—¿Te sentirás decepcionado de mí si fracaso?

—¿Qué quieres decir?

—Bueno, estuve hablando con una mujer a quien tuvieron que dar anestesia, y se siente culpable porque no tuvo conciencia del asunto.

—Como ellos dicen, no hay fracasos. Querida, no te preocupes. Llegarás hasta donde puedas.

—Muy bien.

Joanna, no te mueras en mis manos. No podría soportar que te fueras... claro que eso no podía decirlo en voz alta. No quería atemorizarla ni manifestar francamente sus propios temores.

Cuando llegó la llamada, Ted estaba frente al escritorio, en su oficina, exactamente donde debía estar: un viaje de diez minutos en taxi, de casa, todo bajo control. La cosa comenzó a írsele de las manos desde el comienzo. No había contado con la velocidad y la severidad del parto de Joanna, y cuando llegó a casa la encontró hecha un ovillo sobre el piso.

—Dios mío...

—Ted, duele mucho.

—Cristo...

La instrucción se esfumó apenas percibió la intensidad del sufrimiento. La sostuvo hasta que pasó la contracción. Después alzó la bolsa que estaba preparada desde hacía varios días (había ordenado al taxista que esperase) y salieron en dirección al hospital.

—No puedo más.

—Te pondrás bien, querida. Respira.

—No.

—Puedes hacerlo. ¡Por favor, respira! —Y ella hizo un intento de alcanzar los ritmos respiratorios, los cuales supuestamente debían liberar el cerebro de dolor.

—Ya se ha ido.

—Querida, la próxima vez tienes que tratar de dominarlo. Recuerda. Dominarlo.

—Quizá deberían anestesiarme.

En la esquina de la calle Setenta y Nueve y Park Avenue un embotellamiento detuvo el taxi.

—¡Esto es intolerable! —gritó al chófer.

—¿Y qué quiere que haga yo, oiga?

Ted bajó del taxi.

—¡Urgente! ¡Una mujer de parto! ¡Urgente!

Corrió en medio del tránsito, deteniendo a varios automóviles, exhortando a otros, como un espontáneo y enloquecido policía de tránsito.

—Mueva ese camión, maldito sea. Abran paso.

Los duchos conductores de Nueva York, desconcertados por la visión de aquel maníaco, respondieron positivamente. En un momento grandioso se sintió figura heroica salvando a su esposa embarazada de un embotellamiento neoyorquino. Aceleraron en dirección al hospital, el chófer la mano puesta sobre la bocina, ante el reclamo de Ted:

—Sáltese los semáforos. Yo pagaré las multas.

Concluyó su momento, que no había durado más que un momento. Cuando llegaron al hospital, Joanna fue llevada a un piso superior, y él se quedó solo en la sala de recepción, esperando, héroe de ayer. Ahora *ellos* controlaban la situación, y la tenían y estaban afeitándole el vello pubiano.

—Es injusto —protestó a la recepcionista—. Me necesitan arriba, con mi esposa.

—Lo llamarán.

—¿Cuándo?

—En unos veinte minutos, señor Kramer.

—Esos minutos son decisivos.

—Sí, lo sabemos.

En la sala de recepción había un hombre corpulento, de unos treinta años; se había repantigado en un sillón, con la serenidad de quien mira la televisión.

—¿Primera vez? —preguntó a Ted.

—¿De veras la gente dice eso? —ladró Ted—. ¿Primera vez?

—Oiga, amigo, solamente quiero ser cordial.

—Disculpe. Es... mi primera vez —y Ted comenzó a reírse de sí mismo.

—Para mí, la tercera.

—La espera. Precisamente cuando uno se siente más cerca de ella, se la llevan.

—Muy pronto terminará.

—Pero yo debía estar allí. Es un parto natural.

—Claro.

—¿Usted también?

—Con el debido respeto, eso es basura. La duermen, no sufre, y usted tiene a su bebé.

—Pero eso es primitivo.

—Ah, ¿sí?

—¿Acaso no desea entrar?

—Entraré. Pocos días más y estaré ahí, en mitad de la noche.

Nada tenían que decirse; Ted cavilaba acerca del acierto de su decisión, el hombre estaba tranquilo acerca de la suya. La recepcionista dijo a Ted que podía subir y se dirigió a la planta de maternidad, donde teóricamente Joanna esperaba que él le prestase ayuda. De camino repasó las diferentes tareas que debía ejecutar: medir el tiempo de sus contracciones, ayudarla a respirar, distraerla conversando, limpiarle la frente, humedecerle los labios. Asumiría el control general. Ni siquiera tendría tiempo de sentir miedo.

Entró en el cuarto y encontró a Joanna agazapada en la cama, en mitad de una contracción; fue entonces cuando intentó recordarle el procedimiento respiratorio apropiado y ella le dijo:

—¡Vete a la mierda!

La mujer de la cama contigua gritaba en español. La enfermera lo apartaba de su camino. El asunto no se desarrollaba de acuerdo con lo previsto.

Más tarde llegó el doctor Fick, un individuo alto, de cabello rubio y muy abundante. Lo primero que dijo a Ted fue:

—Espere en el corredor.

Después de unos minutos, la enfermera indicó a

Ted que regresara al cuarto, y el doctor Fick asintió y salió.

—No tardará mucho —dijo la enfermera—. A la próxima contracción la obligaremos a empujar.

—¿Cómo estás, querida? —preguntó a Joanna.

—Es la peor experiencia de mi vida.

Llegaron las contracciones, él la alentó a empujar y después de varias oleadas de contracciones severas y movimiento de empuje, vio aparecer lentamente una mancha negra, la culminación del parto, los primeros signos de su propio hijo. Pero todo era desconcertante, todo estaba fuera de su dominio.

—¿Señor Kramer? —El doctor Fick había regresado—. Vamos a entrar y a tener a nuestro bebé.

Ted besó a Joanna, ella le dedicó una sonrisa forzada, y él pasó con el doctor Fick a un cuarto al extremo del pasillo.

—Señor Kramer, haga lo mismo que yo.

Ted jugó a médicos. Se lavó las manos, se puso una bata azul, y allí, de pie, con la bata médica, contemplando en el espejo la prueba de la charada, y comprendiendo cuán escaso control real tenía sobre todo el asunto, se sintió de pronto sobrecogido por el temor que había estado negando.

—¿No tendrá problemas?

—Creo que no.

—No irá a desmayarse allí, ¿verdad?

—No.

—Mire, cuando comenzaron a permitir que los padres estuvieran en la sala de partos, uno de los médicos dijo que después de ver el parto, algunos hombres sufrían una impotencia temporaria.

—Oh.

—Decía que los hombres estaban desconcertados por el proceso del parto, o bien se sentían culpables del sufrimiento de las esposas. Ya sabe, lo que había excitado el pene...

El doctor Fick tenía un modo interesante de pasar el tiempo en el lavabo.

—De todos modos, carecemos de pruebas reales

acerca del valor de la teoría, pero sugiere algunas reflexiones interesantes. ¿No le parece?

—No estoy muy seguro.

—Venga, señor Kramer. No se desmaye... y no padezca impotencia —dijo el doctor Fick, riendo, sin que su broma de profesional fuese apreciada por Ted, que tenía el rostro endurecido por la tensión.

Entraron en la sala de partos, donde Joanna yacía sin la dignidad que hubiera podido esperarse en vista de una experiencia tan decisiva como aquélla. Estaba como preparada para afrontar un extraño sacrificio ritual; una sábana colgada vertical sobre su cintura, los pies sostenidos por estribos, en una habitación llena de gente, médicos, enfermeras y tres estudiantes que habían ido a observar a Joanna con las piernas levantadas.

—Muy bien, Joanna, lo único que tiene que hacer es empujar cuando yo le diga y luego interrumpir —dijo el médico.

Lo habían practicado en casa; era parte del curso. Ted se sintió reconfortado un momento porque había algo conocido.

—Señor Kramer, quédese al lado de Joanna. Puede observar aquí. —Indicó un espejo sobre la mesa—. Ahora. ¡Empuje! ¡Empuje! —gritó el médico, y luego todo ocurrió muy rápido. Joanna gritó mientras las oleadas de dolor se sucedían, trató de descansar respirando hondo entre un acceso y otro, y después otra vez a empujar mientras Ted la aferraba, rodeándola con los brazos, mientras ella empujaba más y más.

—¡Piensa, piensa en sacarlo, nena! —le dijo Ted, recordando las instrucciones y ella empujó mientras él la sostenía, y empujó y empujó, y un bebé salió llorando. Joanna lloraba, Ted besaba a Joanna en la frente, en los ojos, le besaba las lágrimas, y todos los demás, que después de todo no eran observadores insensibles, ni siquiera el gran médico, sonreían satisfechos durante aquel momento de celebración; mientras se ponía al bebé a un costado para pesarlo y examinarlo, Ted Kramer se irguió sobre William Kramer y le contó los miembros y los dedos de las manos y los dedos de los pies, y comprobó aliviado que no era deforme.

En la sala de recuperación, charlaron serenamente, detalles, gente a la cual había que llamar, tareas recomendadas a Ted, y después ella quiso dormir.

—Joanna, estuviste fantástica.

—Bueno, lo hice. La próxima vez lo pediré por correo.

—Te quiero.

—Yo también te quiero.

Ted subió a la sala de recién nacidos para echar una última ojeada al bebé, depositado en una caja de cartón. Dormía y parecía un cacahuete.

—Buenas noches, pequeño —dijo en voz alta, tratando de creérselo él mismo—. Soy tu papá.

Bajó, hizo las llamadas telefónicas, y durante los días que siguieron, fuera de las visitas al hospital, durante las cuales la presencia del bebé era real, mientras estaba en su oficina, y en el hogar, Ted veía constantemente la imagen repetida de aquel rostro minúsculo, y se sentía profundamente conmovido.

No había sido la ayuda de la cual solían hablar en el curso, pero lo que había hecho en el embotellamiento había sido una cosa especial, y después aquel momento aferrado a Joanna, sosteniéndola físicamente en el momento mismo del parto.

Después, cuando todo cambió y él trataba de recordar si alguna vez habían estado realmente cerca, evocaba ese momento.

—No recuerdo con claridad que estuvieras allí —decía ella.

DOS

Se conocieron en Fire Island, donde él compartía con un amigo una casita de soltero, de modo que podía salir cada dos fines de semana; ella compartía con otras tres personas otra casa, con lo cual podía salir cada cuatro semanas; y con lo que restaba de estas posibilidades aritméticas acudieron a una de las tres verbenas que se celebraban el sábado de la semana en que casualmente se encontraron.

Joanna estaba rodeada por tres hombres en un porche lleno de gente. Ted la miraba y los ojos de ambos se encontraron, del mismo modo que la mirada de Joanna se había cruzado con la de una docena de hombres diferentes que también habían salido de ligue. Ted había merodeado en una casa de Amagansett y en la casa de Fire Island, partiendo del supuesto de que el total combinado de los dos ambientes le permitiría conocer a Alguien, o por lo menos a Esta o Aquélla. Ya había desarrollado el equivalente playero de la astucia de la calle; es decir, sabía dónde instalarse, y qué hacer para entablar relación con la muchacha bonita rodeada por tres hombres y que se disponía a partir con uno de ellos.

Cuando Ted vio que se trataba de una persona con la cual había jugado a balón-volea, bajó al patio y se apoyó en la verja. Abordó al hombre, intercambió algunas trivialidades, y para no parecer grosero, el otro tuvo que presentar a Ted y a su amiga. Ella era Joanna y ya se conocían por haberse visto hacía un momento.

No la vio en la playa al día siguiente, pero conjeturó que había salido en uno de los tres ferrys atestados que habían partido de la isla el sábado por la noche; por lo tanto, se acomodó en el muelle tratando de parecer un lánguido excursionista de fin de semana, que se resiste a partir con el atardecer. Ella apareció en el segundo ferry. Ted observó que no estaba con un hombre, sino con dos amigas, las amigas eran atractivas, y eso podía interesar a Larry, el hombre de la camioneta. Larry, el amigo de Ted, estaba divorciado, y en el arreglo de separación de bienes se había quedado con una vieja camioneta. Larry la usaba para ofrecer a las mujeres algo útil al cabo de un fin de semana: un viaje de regreso a la ciudad. Podía ocurrir que transportase a grupos enteros de mujeres; con su camioneta, a veces parecía que Larry era el chófer de las azafatas que volvían de un aeropuerto.

—Hola, Joanna. Soy Ted. ¿Me recuerda? ¿Quiere que la lleve?

—¿Viaja en este ferry?

—Estaba esperando a mi amigo. Será mejor que vea dónde está.

Ted caminó tranquilamente hacia el comienzo del muelle, y apenas estuvo fuera de la vista echó a correr hacia la casa.

—¡Larry, mujeres bonitas! —y lo obligó a marchar apresuradamente desde la casa hasta el muelle.

De regreso, una de las amigas de Joanna hizo a Ted la pregunta inevitable.

—¿En qué se ocupa?

Durante el verano la pregunta no le había creado situaciones muy cómodas. Las mujeres que había conocido parecían tener un sistema de clasificación; y en una escala de diez, los médicos obtenían la calificación máxima; los abogados y los corredores de bolsa, nueve; los especialistas en publicidad, siete; los empleados de tienda, tres, a menos que fuesen dueños del negocio, en cuyo caso merecían ocho; los maestros cuatro, y todo el resto, incluido «¿qué es eso exactamente?» lo cual era a menudo el caso de Ted, a lo sumo dos. Si tenía que volver a explicar el caso, y pese a todo la situación no se aclaraba, probablemente se le aplicaba la calificación uno.

—Soy vendedor de espacios.

—¿Para quién? —preguntó Joanna. No había tenido que explicar nada, lo cual quizá significaba cinco.

—Las revistas *Ocio*.

—Oh, vaya.

—¿Cómo las conoce?

—Estoy en J. Walter.

De modo que trabajaba en una agencia de publicidad excelente y al mismo tiempo no tan excelente, pensó. Estaban en el mismo campo. Por otra parte, ella no era una bibliotecaria de Corona, Queens.

Joanna Stern había llegado a Nueva York con un diploma de graduado escolar de la Universidad de Boston, y pronto descubrió que su título no era la llave que le abriría las puertas de la ciudad. Había tenido que seguir un curso de secretariado para optar al cargo de secretaria, y así pasó de un «empleo representativo» a otro, uno menos tedioso que el siguiente, a medida que su capacidad oficinesca se perfeccionaba; y finalmente la habían designado secretaria ejecutiva del jefe de relaciones públicas de J. Walter Thompson.

Tenía veinticuatro años cuando alquiló su primer piso sola. Tenía relaciones con un hombre casado de la oficina, y una compañera de cuarto la molestaba. El asunto duró tres meses, y terminó cierto día en que él había bebido demasiado, y vomitó en la alfombra de Joanna, y abordó el tren que debía reunirlo con su esposa en Port Washington.

En Navidad regresaba siempre a Lexingtown (Massachusetts), y presentaba un informe favorable a los progresos realizados. «Salgo con amigos y mi trabajo marcha bien.» El padre era dueño de una próspera farmacia de la ciudad, y la madre era ama de casa. Joanna era hija única, mimada, la sobrina favorita y la prima favorita de la familia. Cuando quiso pasar un verano en Europa lo consiguió; cuando deseaba ropas nuevas las tenía. Pero, como solía decir su madre, nunca «creó problemas».

A veces revisaba los anuncios que pedían personal para comprobar si podía hacer otra cosa en el mundo. Ganaba ciento setenta y cinco dólares semanales, la tarea era relativamente interesante, y no deseaba demasiado cambiar. Era como había dicho a sus padres: «Salgo con amigos y me va bien en el trabajo.» Pero había llegado a familiarizarse con todo. Bill, el hombre casado con quien salía, era intercambiable con Walt, el casado del año anterior; y de los solteros, Stan después de Walt, pero antes de Jeff, era intercambiable con Michael después de Jeff y antes de Don. A ese ritmo, cuando tuviese treinta años se habría acostado con más de dos docenas de hombres, lo cual era más de lo que deseaba aceptar para ella misma. Empezaba a sentirse un poco vulgar y gastada. Dijo a Bill, la pareja actual, que los fines de semana parecían aburridos sin él, y dándole una pista dijo que deseaba que la invitase a su casa de Stamford. Por supuesto, eso era imposible, de manera que hicieron lo mejor que les quedaba: rompieron.

Ted no fue el siguiente. Ella lo mantenía como una relación que circulaba entre Fire Island y Amagansett. Ted Kramer había llegado allí después de entrar y salir de la vida de diferentes mujeres, hasta poco más de los treinta años, del mismo modo que ellas habían entrado y salido de la suya. Salió de la Universidad de Nueva York con un diploma de Comercio, que acreditaba su capacidad prácticamente para todo y nada. Aceptó un empleo de aprendiz de vendedor en una pequeña empresa electrónica, se incorporó al ejército como reservista por seis meses, y durante un año fue vendedor de artefactos de un mayorista. Nunca consideró la posibilidad de trabajar en el negocio de la familia. Su padre era propietario de un restaurante instalado en una tienda y durante años se había quejado:

—Estoy hasta la coronilla de ensalada de pollo y basura.

Tampoco Ted deseaba nada parecido. Una mujer mayor, veterana en el sector de personal, ofreció a Ted lo que fue el consejo más importante de su vida profesional.

—Su grave error es tratar de vender productos. No tiene bastante empuje.

—¿Qué quiere decir? —preguntó él con timidez.

—Usted es inteligente. Puede vender, pero no productos. Tiene que vender ideas.

Pocas semanas después le había conseguido un empleo que consistía en vender ideas; en efecto, era vendedor de espacios de publicidad para un grupo de revistas destinadas a los hombres. En ese campo un vendedor tenía que saber de demografía y mercados; tenía que manipular tabulaciones de la investigación. Se necesitaba inteligencia, y Ted Kramer, que era más inteligente que agresivo, sabía hacerlo.

Finalmente, pasado el verano, Ted y Joanna tuvieron la primera cita, una cena en una taberna del East Side, y pasaron lo que en el lenguaje de los solteros alegres podía considerarse una velada agradable. Estaban marcando puntos. Se habían visto en la ciudad. Delante de Ted estaban un corredor de bolsa, un redactor de frases publicitarias y un arquitecto, como gente que guarda cola. El corredor de bolsa se preocupaba demasiado por las acciones, el redactor fumaba demasiada marihuana, el arquitecto hablaba excesivamente de otras mujeres, y así Ted y Joanna descubrieron que ya estaban en la segunda cita. En aquella atmósfera de solteros, en la cual todo lo que fuere imaginativo llamaba la atención, él hizo algo discretamente sagaz. La llevó al mismo lugar donde habían ido la primera vez y le explicó:

—Aquí me fue bien antes.

Hasta cierto punto le divertía la situación de soltería de la que ambos participaban; no una cosa tan desprendida como la de Vince, un director de arte que se había acercado al escritorio de Joanna para decirle que era bisexual, ni tan desesperada como la de Bob, un supervisor de medios de información que también se había aproximado al escritorio y que estaba «al borde del divorcio», una argumentación que ella ya conocía por Walty Bill.

—Lo que suelo hacer con alguien que *me parece* que me gusta... —dijo Ted.

—¿Te parece que te gusta?

—La relación es joven. Lo que hago es pedirles que pasen el fin de semana conmigo en Montauk.

—¿No te parece que es demasiado temprano para hacer eso?

—Podría ser un fantástico fin de semana otoñal, y quizá descubramos que no tenemos nada que decirnos.

—O tal vez llueva, y descubramos lo mismo.

—Pero piensa en el tiempo que nos ahorraríamos. Y todo el dinero que yo ahorraría.

—Hay que ver ese asunto de la lluvia.

Unas pocas veladas más y él volvió a preguntar; ella aceptó, él alquiló un automóvil y ocuparon una habitación de motel en Montauk. Hacía buen tiempo, tuvieron varias cosas que decirse, y sin engaño, acostados en la playa y envueltos en mantas, ambos revelaron que estaban cansándose de la soltería. Fueron a la cama apoyándose en una confidencia compartida.

Por lo tanto, la decisión no fue nunca que Ted Kramer había sido elegido por Joanna Stern entre todos los demás como el hombre con quien debía casarse. Lo importante de Ted fue que ella lo eligió en ese momento en un grupo más o menos intercambiable de hombres a quienes había visto, porque lo consideró una persona a quien podía ver con más frecuencia que al resto. De acuerdo con las normas generales del mundo en que ellos actuaban, eso significaba que Joanna se acostaría con él de tanto en tanto; y de acuerdo con las normas personales de la propia Joanna, que no debía acostarse además con otros. De modo que Ted era sencillamente un hombre semejante a otros que lo habían precedido, cada uno de los cuales había llegado a ser en su momento la persona principal.

Ocurrió sencillamente, en vista del creciente malestar que la vida de soltera provocaba en Joanna, que nadie le sustituyó.

Comenzaron a pasar períodos cada vez más amplios cada uno en el departamento del otro, en casas intermedias, todo lo cual era menos que convivir realmente pero más que limitarse a salir juntos. El sentía que se había ganado el anillo de oro en el carrusel: aquella persona, que pertenecía a su mismo sector de actividad, que conocía el trabajo que él realizaba, que tenía una visión depurada del mundo de los solteros, y era excepcionalmente bonita, la estrella del muelle en la playa y los cócteles dominicales, era su dama.

Se acercaba el verano. Un momento difícil. Joanna podía percibir la agitación de ingles de los ejecutivos casados que proyectaban llegar a algo con la chica de la oficina, y ello incluso cuando dichos hombres preparaban las camionetas con las ropas que debían usar el fin de semana las esposas y los hijos. En la oficina se había pedido a Ted que indicase su período de vacaciones.

—Tenemos que adoptar una decisión trascendente en nuestra relación —dijo Ted, y durante un instante Joanna temió que él aludiera a un acuerdo mucho más permanente. Ella aún no estaba decidida a abordar ese asunto.

—Me corresponden dos semanas de vacaciones. ¿Quieres que lo pasemos juntos?

—Muy bien. ¿Por qué no?

—Larry está organizando un grupo. Podemos conseguir un cuarto. Tendríamos dos semanas para nosotros, y además los fines de semana.

Ella nunca había vivido en Fire Island o en cualquiera de los lugares de veraneo anexos, y él tampoco.

—Podría ser muy agradable.

—Cuatrocientos por persona, a partes iguales.

—Eres un gran vendedor.

—Creo que nos gustará.

—Claro que sí. Es buen negocio. Quiero decir, ahora que sé que no roncas.

Cuando Mel, el jefe del departamento de contabilidad, esposa en Vermont, se detuvo frente al escritorio de Joanna y preguntó:

—¿Qué harás este verano y con quién lo harás?

Joanna replicó:

—Tengo un lugar en Fire Island con mi novio.

Era la primera vez que había usado la palabra «novio» en una frase que aludía a Ted, y experimentó cierto placer en ello, sobre todo cuando Mel se retiró prontamente, exclamando:

—Oh —y se llevó su entrepierna a otra parte.

El hecho de estar juntos en un lugar donde tanta gente se hallaba al acecho, y donde ellos mismos antaño habían cazado, les infundió una sensación de originalidad. Cuando supieron que un porche se había derrumbado en una reunión de solteros sencillamente por el peso de tanta agresión social, se sintieron felices de no haber estado allí, de que en ese momento estuvieran en la casa comiendo tortitas. El vagabundeo de los solteros de rostro embriagado o solitario a lo largo de los paseos, buscando una fiesta, una conversación, un número telefónico, el retorno del ferry los domingos por la noche, la última oportunidad antes de salir a la autopista, la gente tratando de rescatar en cinco minutos lo que no había encontrado todo el fin de semana, todo eso los llevaba a experimentar una sensación de mutuo agradecimiento.

El sexo era montaraz, sabroso, e implicaba el acto delicioso del ocultamiento permanente, de los planes para conseguir la casa vacía. Sobre todo, les complacía la idea de que una vez concluido el verano podían seguir juntos si así lo deseaban.

—Joanna, me gustaría que nos casáramos. Por favor. En toda mi vida jamas he dicho a nadie algo parecido. ¿Quieres?

—Sí. Oh, sí.

Se abrazaron con sincero afecto, con sentimiento, pero principalmente con gratitud, porque podían demostrar que después de todo eran individuos sanos, e íntegros, y porque ya no necesitarían volver a recorrer los senderos, una copa en la mano, buscando.

El bebé había estado llorando durante un período que parecía de dos horas.

—Sólo cuarenta y ocho minutos según el reloj —dijo Ted.

—Sólo.

Estaban agotados. Habían acunado, palmeado, levantado, caminado, acostado, de nuevo levantado, ignorado, paseado, cantado al bebé, y éste seguía llorando.

—Uno de nosotros debería dormir —dijo Ted.

—Yo *estoy* dormida.

Billy tenía cuatro meses. Hacía mucho tiempo que se había marchado la niñera que presentaba un bebé que nunca lloraba durante la noche, y que incluso parecía que no lloraba nunca. El día que ella se marchó apareció el otro bebé, con sus necesidades, y lloraba... a menudo.

Después del nacimiento del bebé apareció la familia. Los padres de Joanna viniendo de Massachusetts, los padres de Ted viniendo de Florida; finalmente se habían retirado. De Chicago llegaron el hermano y la cuñada de Ted; la familia aparecía y se instalaba y esperaba que se le sirviesen infinitos bocados y bebidas.

—Me alegro de conocer el negocio de los restaurantes —dijo Ted.

—Pero yo no. Si tengo que alimentar a una persona más, le paso la cuenta.

Después que se marchó la enfermera y se dispersó la familia, lo que les quedaba era fatiga. No estaban preparados para el interminable despliegue de esfuerzo y el agotamiento que son el resultado natural de un nuevo hijo.

—Hace tanto tiempo que no hacemos el amor que creo haber olvidado cómo meterla.

—Eso no es divertido.

—Ya lo sé.

Al principio, Ted estaba preocupado por la conducta más apropiada en su nuevo papel. Es decir, se levantaba con Joanna y le hacía compañía mientras ella amamantaba a Billy, de modo que a veces había tres personas cabeceando en mitad de la noche. Después de unas cuantas tardes en que casi se durmió en la oficina, comenzó a limitar su ayuda en mitad de la noche a mascullar algo mientras Joanna se levantaba para cumplir con su deber.

Cuando cumplió ocho meses, el bebé pudo dormir durante períodos más prolongados. Pero aun así Joanna tuvo que trabajar todo el día, lavar, hacer compras, alimentar al niño. Sabía que debía desear qué Ted volviera a casa por la noche, porque era su marido. Pero sobre todo quería que regresara para que la ayudase, quizá a clasificar la ropa, o fregar el piso de la cocina.

—Joanna, estoy tan agotado...

—Querido, no quiero hacer el amor. Lo que quiero es un cuarto para mí sola.

Se rieron con desgana y poco después se durmieron.

La gente les decía: «Ya irá bien», y con el tiempo, en efecto fue bien. Billy dormía toda la noche, era un niño vivaz y hermoso. Equivocados o no, los sentimientos de ansiedad de Ted ante la posibilidad de que el bebé se le asemejase, parecían infundados, porque en realidad nadie pensó jamás que el bebé fuera como el padre. Billy tenía una nariz pequeña, grandes ojos pardos, cabellos negros y lacios. Era hermoso.

Cuando la vida de ambos cambió, también los amigos variaron. Los solteros pertenecían a otro sistema solar. Después de casarse, Ted se había trasladado al departamento de Joanna en la calle Setenta Este, en un edificio poblado sobre todo por solteros y unos pocos infiltrados extraviados. Se mudaron a pocas manzanas de distancia, a un edificio habitado por familias, y los amigos más íntimos fueron Thelma y Charlie Spiegel, los vecinos de 3-G, en el piso de abajo, que tenían una hijita llamada Kim, tres meses mayor que Billy. Charlie era dentista. Marv, vendedor de espacios de *Newsweek*, y su esposa Linda se incorporaron al círculo. Tenían un Jeremy, dos meses mayor. Padres primerizos de niños pequeños, se instalaban alrededor de la fuente de *Boeuf bourguignon* y comentaban los movimientos del vientre y la educación higiénica en una serie de análisis obsesivos del progreso comparado de sus hijos: quién se sostenía sobre los pies, o caminaba, o hablaba, u orinaba en una escupidera, o cagaba en el piso, y todos con lo mismo y lo mismo con todos. Incluso en esos momentos, cuando alguien podía decir:

—Eh, ¿no podemos hablar de otras cosas? —apenas cambiaban de tema, y el otro tema era algún asunto conexo, la crianza de los niños en la ciudad de Nueva York, las escuelas públicas o las escuelas privadas, y a veces, pero no muy a menudo, las películas vistas o los libros leídos, en el supuesto de que algunos de los participantes tuviese tiempo para leer.

Cuando tuvo dieciocho meses, Billy Kramer era un niño a quien la gente miraba en la calle cuando pasaba con su bella madre.

En el trabajo, Ted había recibido un aumento por la sencilla razón de que ahora era padre, es decir, suponía que era miembro de un club. Iba a los encuentros de fútbol de los Gigantes con Dan, un abogado que era un antiguo condiscípulo de la Universidad. Por las necesidades de su trabajo, leía las revistas de noticias, y el *Wall Street Journal*. El en efecto *tenía* trabajo. El club de Joanna estaba formado por unas pocas amigas a las que había conocido en el banco del parque, algunas de las abuelas menos reservadas, y Thelma, por lo que ella sabía nada tan interesante como Ted, que trabajaba en una oficina donde había personas de más de sesenta centímetros de estatura, que hablaban formulando oraciones completas. Y en el mundo de Joanna no había nadie, ni el club del banco en el parque, ni sus viejas amigas, ni Ted, nadie con quien ella pudiera compartir su pecaminoso secretito.

Lo dijo, pero ellos no quisieron escucharla.

—Quiero a mi bebé —dijo un día a Thelma—. Pero en esencia es aburrido.

—Claro que sí —dijo Thelma, y Joanna creyó que tenía una aliada—. Pero también es interesante.

No tenía público. Las mujeres a quienes ella conocía no admitían el hecho o eran más tolerantes que la propia Joanna. Durante una conversación telefónica con su madre, planteó el asunto.

—¿Alguna vez te aburriste?

—No, contigo no. Nunca planteabas problemas.

Entonces, ¿qué le pasaba? Una noche, después de escuchar a Ted, y una larga explicación acerca de algo que le molestaba, una discusión con una colega en la oficina, Joanna dijo lo que correspondía, que él no debía inquietarse por eso, y después le explicó lo que le molestaba; no era que no quisiera a Billy, se trataba de un niño tan vivaz y hermoso, pero todos los días eran iguales.

—Ser madre es tedioso, Ted. Nadie lo reconoce.

—Bueno, así son las cosas. Por lo menos los primeros años. Pese a todo, es un hermoso niño, ¿verdad?

El tampoco quería oír hablar del asunto. Y fue Ted quien se volvió y se sumergió en el sueño.

TRES

Joanna vivió con su secreto. Las cosas no mejoraron. El momento culminante del verano fue el día que Billy hizo un «popó» en la escupidera.

—Bravo, Billy —aplaudió ella, y Ted también, y Billy también. Había que reforzar al niño.

—Hice popó —dijo el niño pocos días después, sin que nadie lo alentara, y en efecto hizo un popó, y cuando Ted telefoneó para decir que había cerrado un trato, un programa mensual, anuncios a toda página, Joanna también tenía buenas noticias. Dijo: «Hizo popó y lo hizo solo.» Ni siquiera era el triunfo de la propia Joanna ni de su «popó».

Billy tenía dos años. La madre de Joanna habría dicho que no traía problemas. A veces se mostraba obstinado o lento, pero comenzaba a perfilarse como una persona, pasando del estado primitivo de meterse queso blando en los oídos a la condición de ser semicivilizado que uno podía llevar el domingo al restaurante chino.

Ella le permitía ver la televisión, la Abeja Maya, y él se instalaba, pestañeando, sin comprender del todo. Con lo cual Joanna disponía de una hora de tranquilidad.

Ted trabajaba intensamente. Indeciso cuando era más joven, poco dinámico y dubitativo, a los treinta y nueve se había convertido en un agente de publicidad que conocía el oficio. El año anterior había ganado 24.000 dólares, lo cual no era un gran éxito en Nueva York, pero sí representaba más dinero que el que había visto jamás y estaba progresando. En su trabajo hacía cuanto era posible para mantenerse informado, y su superior inmediato, el gerente de publicidad, lo llamaba «Mi mano derecha». No iba a beber a ninguno de los locales frecuentados por la gente de la profesión. No se enredaba con las chicas de su oficina. En su hogar tenía una bella esposa y un hermoso niño.

A ella le parecía que los fines de semana eran más gratos cuando iban juntos a hacer diligencias en la ciudad o cuando Ted se hacía cargo de Billy una parte del día y ella podía salir sola a hacer compras, o sencillamente a estar sola un rato. La gente de la oficina solía preguntarle qué le parecía criar a un niño en la ciudad, y él replicaba que era un lugar interesante; y quizá lo decía en el mismo instante en que Joanna, en el hogar, trataba de mostrarse interesada, mientras Billy jugaba con los cubos en el garaje.

—¡Vamos, juega conmigo, mami!

Y ella se esforzaba por mantener abiertos los ojos a las cuatro de la tarde, y procuraba no servirse un vaso de vino antes de las cinco.

Su vida social consistía en cenas y reuniones bastante frecuentes con los amigos. El Movimiento Feminista logró llegar hasta ellos, todos discutieron el problema de los papeles domésticos, y durante un tiempo todos los hombres se ponían de pie simultáneamente para retirar la mesa. A veces, Ted veía a viejos amigos a la hora del almuerzo. Joanna no veía a sus antiguas amigas. Incorporó a Amy, una ex maestra de escuela a quien había conocido en el campo de juegos. Hablaban de los niños.

—Ted, quiero tener un empleo.

—¿Qué quieres decir?

—Estoy idiotizándome. No puedo pasarme los días con un chico de dos años.

—Deberías emplear cuidadoras.

—No me interesa tener un par de tardes libres.

—Joanna, querida, los niños pequeños necesitan a la madre.

—Linda tiene empleo. Se levanta, y sale, es una persona. Y yo debo quedarme aquí con Billy, y Jeremy, y Cleo, que espera impaciente que salga del cuarto, porque ella quiere ver *La vuelta al mundo.*

—¿Tú no lo ves?

—No estoy bromeando.

—Está bien. ¿Has pensado en lo que podrías hacer?

—Supongo que lo mismo que hacía antes.

—Y tendrás que pagar el sueldo de la persona que se ocupe de la casa, o la cuidadora, o como quieras llamarla. Quiero decir que no podemos perder dinero sólo porque quieras trabajar.

—Ahora estamos perdiendo. Me refiero a los efectos de todo esto en mí.

—¿De qué hablas? Eres una madre magnífica. Billy es un chico notable.

—Billy cada vez me interesa menos. Me aburren sus tontos juegos de niño de dos años y sus cubos tontos. Tú hablas con adultos, y yo me paso el día en el piso armando garajes.

—Mira, olvidas muy rápido. Al final, estabas cansándote de lo que hacías, ¿recuerdas?

—En ese caso haré algo distinto.

—¿Qué? ¿Qué te dará lo suficiente para compensar los gastos?

—Algo haré. Trabajé en relaciones públicas, ¿no?

—Joanna, fuiste secretaria y nada más.

—No es cierto. Fui ayudante del...

—Eso es pura apariencia. No fuiste más que secretaria.

—¿Sabes que eres cruel?

—Discúlpame, pero es la verdad. Y no veo qué sentido tiene amenazar la felicidad de un niño de dos años para que puedas ser secretaria en una oficina. Creo que eso es cosa del pasado.

—¿Te parece?

—Mira, cuando él sea mayor, y vaya a la escuela de nueve a tres, tal vez puedas trabajar unas horas diarias.

—Gracias por el permiso.

—Joanna, ¿qué significa todo esto?

—Dos años de aburrimiento.

—Quisiera saber cómo se arreglan otras madres.

—No todas lo consiguen. Algunas trabajan.

—Sí, bueno...
—Bueno, ¿qué?
—Déjame pensarlo un poco.
—Estás preavisado.
—Qué extraño. Estaba pensando que deberíamos tener otro hijo.
—¿De veras?
—La gente dice que si uno espera demasiado, es cada vez más difícil.
—¿Sí?
—Quiero decir...
—No deseo otro hijo.
—Es que eres tan buena madre. Los dos somos buenos padres.
—No soporto la idea de repetir lo mismo del principio al fin. ¡Dios mío! ¡Otra vez las comidas y los pañales sucios!
—Sería muy divertido. Agregaríamos un asiento a tu bicicleta, y después iríamos a pasear por la ciudad.
—¿Por qué no lo alquilas, Ted?
Sin duda se refería al niño y no al asiento. Trató de hablar con Amy, su nueva amiga. Joanna se lo dijo todo de una sentada, que no lograba equilibrarse, que estaba hastiada y se sentía confusa. Pero Amy no era la persona adecuada. Amy quería a los niños, le encantaba la condición de madre, la seducía la idea de volver a un aula cuando sus hijos fueran mayores; en definitiva, apoyaba la tesis de Ted. El aburrimiento es algo que «uno mismo se fabrica», dijo tensamente Amy, y Joanna tuvo la sensación de que le habían puesto cero en conducta. Y después, la virtuosa Amy dejó caer una bomba. Ella también guardaba algo que no había podido revelar a nadie. Amy tenía un asunto. El hombre estaba casado. Era psiquiatra. Durante sus años de soltera, Joanna había pertenecido a otro bando. Amy era la primera casada amiga de Joanna que admitía que tenía un asunto... y con un psiquiatra.
—¿Se les permite eso? —preguntó Joanna, tratando de disimular su embarazo.

Se despidieron con besos y abrazos, hermanas del alma ahora que habían intercambiado confidencias; pero Joanna no estaba muy segura de haber recibido a cambio lo que deseaba. ¿Un asunto amoroso? Se le ocurrió que no sería muy eficaz. Implicaba una serie diferente de complicaciones. Pero la idea de emplear a una cuidadora para disponer de tiempo y tener una aventura la divirtió un poco.

Ted habría jurado que simpatizaba con el Movimiento Feminista. Trataba de «hacer su parte», según él entendía el asunto, y llamaba a Joanna antes de volver a su casa, para informarse si ella necesitaba algo. De todos modos, ella era quien se ocupaba del hogar. Ted ayudaba a atender a Billy, lo bañaba, y los fines de semana salía con él algunas horas. Aun así ella se ocupaba de sus ropas, su dieta, su salud, el pediatra, las etapas de desarrollo, cuándo debía iniciar la educación higiénica, cuándo había que bajarlo de la cuna, pasarlo a una cama. El era el papá, pero ella era la mamá. Ted deseaba ayudar. Sentía que debía hacerlo. Y lo que él hacía era esencialmente eso, ayudar. En lo principal, Billy era tarea de Joanna.

Durante un periodo todos los niños de la edad de Billy que asistían al campo de juegos tenían la misma jirafa; después todos compartieron el mismo triciclo; y ahora, a los tres años, todos iban a un parvulario. Ted se preguntaba cómo había conseguido llegar a la edad adulta sin concurrir a un parvulario que costaba 1.400 dólares anuales; ¿y no era pagar mucho dinero para conseguir que un chico de tres años dibujara monigotes? Pero Joanna sabía que si Billy asistía, ella podía disponer de unas horas libres todos los días. Dijo a Ted que todos los niños iban, y que si retiraban a Billy se retrasaría mucho y perdería las cualidades verbales que aparentemente poseía, y nunca lograría recuperar el terreno perdido.

Ted extendió un cheque a favor del parvulario Los Gatitos.

Pero aquello no alivió mucho a Joanna. Algunas mañanas Ted vestía a Billy y lo llevaba a la escuela. Pero Billy volvía a casa a mediodía, y ella sentía que aún le quedaba un día entero por delante. Las madres convenían en que todos los niños de tres años eran así, lo cual a ella no la reconfortaba mucho cuando tenía que afrontar el hecho de que él quería su bocadillo de crema de cacao en cuadrados y no en triángulos, su leche en la copa del payaso, no en el vaso del elefante, de que no podía usar el papel de color porque estaba arrugado, de que su hamburguesa tenía demasiada corteza, de que en la escuela Randy tenía una bicicleta amarilla con campanilla y no con bocina, y de que diez minutos y veinte dólares después que se marchaba la encargada de la limpieza los pisos estaban pringados de jugo de manzana. Y Ted gruñía que todo costaba tanto y la compañía no andaba muy bien y él iba a tener que aceptar una reducción de sueldo, por lo menos tenía un empleo al que concurría y donde comentaban las tarifas de la página, y los eslóganes, y no a Jiffy, discúlpame, olvidé que debía llamarlo Jiffy, Billy, pensé que habías dicho Skippy, no, maldito sea, no puedo darte helado para el desayuno, y a pesar de todo también era cariñoso, y un chico realmente bonito, lo cual en nada facilitaba las cosas.

—Voy, ya voy, ¡estoy en el baño! Por Dios, ¿no puedes levantar tú solo el camión?

—Mami, no me grites.

—¡Maldito sea, dejar de gritar! —y él gritaba más, y ella alzaba y confortaba al niño, pero nadie se ocupaba de confortarla a ella.

CUATRO

Como Blancanieves en la pieza escolar, era Blancanieves con urticaria. Como segunda, después de la Más Bonita de la Clase, la noche de la fiesta de graduación, padeció urticaria. Urticaria la primera vez con Philip, un muchacho de Harvard. Sus padres siempre le compraban el jersey de cachemir o el amuleto que necesitaba para competir en la Olimpíada de los adolescentes, o para ayudarle a pagar el alquiler los primeros años que estaba en Nueva York. En resumen, le enviaban cheques. En medio de su tercera aventura con un hombre casado, se preguntó si aquello estaba convirtiéndose en sistema, y tuvo urticaria. Habló con la madre, la madre pensó que aquello no tenía buen aspecto, y le enviaron un cheque por veinticinco dólares para que se comprara algo bonito. Cuando la tensión se acentuaba sufría de urticaria, y los padres siempre la habían tratado con solución de calamina.

Cuando comenzó el curso de mecanografía y redacción comercial, se inició la terrible picazón bajo la piel. Era como si tuviera picaduras de insectos aquí y allá; desaparecían a los pocos días, pero ella se sentía molesta ante el nuevo brote de afección. No le agradaba sentirse tensa. Siempre tenía ordenado el escritorio, y no le gustaba rezagarse y después verse obligada a correr para recuperar el tiempo perdido. No quería trabajar hasta el límite de sus fuerzas. Estaba bien ser secretaria, si una era eficaz. No ansiaba hacer carrera, ser una mujer dinámica y tensa, que comía demasiado, como la jefa de redacción, o que bizqueaba como la compradora de espacios, sí, de eso se trataba. No quería tener urticaria.

—¿Qué es eso? —preguntó Ted cuando la vio desnuda al ir a practicar su coito nada frecuente, acaso semanal. Un chico de tres años era tan exigente. Se sentían cansados tan a menudo.

—Nada. Seguramente comí mucha fruta.

Se vio que el tenis era el antídoto. Después de unas horas de juego la urticaria desaparecía. Al cabo de unas pocas semanas ella había llegado a obsesionarse con su aventura con los señores Wilson y Dunlop. Sus padres le habían pagado lecciones de tenis en el colegio secundario, así como antes le habían pagado lecciones de piano y zapateado. Jugaba regularmente mientras asistió a la universidad, y sorprendía a sus compañeros de juego porque conseguía enviar la pelota sobre la red. En Nueva York no jugaba a menudo, algunas veces en lugares de veraneo, antes de conocer a Ted. Con Ted jamás jugaba. Ted montaba en bicicleta y a veces se dirigía al patio de una escuela cercana, a jugar baloncesto con los chicos del vecindario, y solía retornar con las narices chorreando sangre y todavía jadeando, y rememorando sus viejos tiempos en Bronx. Amy dijo que ella jugaba un poco, ella y Joanna se apuntaron a un club de tenis, y Joanna comenzó a jugar otra vez en Central Park. Primero jugaron una vez por semana, durante las horas del parvulario, después dos veces, y luego Joanna arregló una lección de tenis el tercer día de la semana. Se alegraba si jugaba bien, se deprimía si lo hacía mal, repasaba mentalmente sus propios golpes a toda hora del día, y por la noche sus últimas reflexiones estaban consagradas a los encuentros bien o mal jugados; comenzó a mirar los encuentros televisados, su juego mejoró, y comenzó a derrotar a Amy. El tenis la sostuvo durante la primavera.

Habían pedido a Ted que aceptara una reducción del 10 por ciento del sueldo, y que limitara a una semana sus vacaciones, mientras la compañía se debatía financieramente. Joanna insistía en que si se la obligaba a llevar todos los días a Billy a un campo de juegos desierto en aquel verano ardiente, terminaría con los sesos achicharrados. Ted deseaba mostrarse comprensivo, y ambos convinieron en pagar la asistencia de Billy a un grupo estival de juego del parvulario. Tendrían que conformarse con un modesto viaje de una semana al campo, en agosto, pero Joanna debía renunciar a las lecciones de tenis. De todos modos, continuaba jugando, y ahora que Billy no estaba por la mañana, pudo unirse a un grupo de dobles que jugaba todos los días, con Amy y otras dos mujeres del parvulario. Se la veía bronceada y pulcra, con sus prendas blancas de tenis, los cabellos sujetos por un pañuelo de seda, los calcetines con adornos y la bolsa de Adidas para las raquetas. Por lo menos externamente parecía que se desenvolvía bien en lo que hacía.

Los hombres la invitaban a jugar; era gente dispuesta a descender de categoría en tenis para realzar su vida social con la ayuda de la bonita muchacha que jugaba bastante bien. Joanna se sentía tentada a fugaces fantasías: ella jugaba sin esfuerzo un set con el apuesto Luis, o Eric o Cal, y luego volvía con ellos, todavía sudorosos, y hacían el amor y hablaban de tenis.

La semana de vacaciones de agosto le pareció interminable. Ted quería hablar del trabajo, la compañía, y si llegaría a terminar el año en la firma. Ella comprendía que Ted atravesaba un momento difícil, pero ella también. ¿Por qué no hablaban más a menudo de ella, y cómo era posible hablar con inteligencia de minucias? La acumulación de pequeños detalles que ella tenía que afrontar estaba abrumándola. El podía pensar que tales problemas eran mezquinos.

Alquilaron un piso barato en Hampton Bays, un barrio de clase media que parecía prometer en los folletos, pero que estaba atestado de embarcaciones, elementos de pesca y mosquitos. En un ambiente desconocido, con niños mayores, Billy no se adaptaba bien; siempre rondando alrededor de Joanna, como un perrito.

—¡Vete a jugar, Billy! ¿No tienes con qué jugar?

—No sé qué hacer.

No sé qué hacer. Joanna reflexionó... ¿Hablaban así los niños de tres años? Era tan inteligente, tan bonito, tan fastidioso.

—Entonces, vete a nadar.

—Por Dios, Joanna, ¿cómo va a nadar?

—Entonces, nada con él. Yo quiero descansar. ¿Puedo hacerlo?

Los dos fueron a chapotear en la piscina, y ella se prometió no volver a salir nunca con ellos; y no quería ir a un lugar donde no hubiera tenis.

Ted descubrió un lugar donde ella podía jugar

al tenis. Un club local alquilaba por horas a los visitantes, durante la semana, y en las instalaciones una cuidadora se ocupaba de los niños; ¿y acaso no había dicho Joanna que jugaría con él? Ella había llevado su raqueta, y él podía conseguir una prestada. En la ciudad él solía decir de sí mismo, cuando conversaba con la gente, que era viudo por culpa del tenis; pero ahora estaban en vacaciones, y ella podía dedicarle una hora de tenis, ¿verdad?

A Joanna esa hora le pareció tan larga como la propia semana. Ted había jugado pocas veces en su vida. Jugando parecía un oso salvaje. Estaban al lado de dos parejas mixtas de jugadores de más edad. Las pelotas que Ted tiraba interrumpían a cada momento el juego de las dos parejas, olvidaba con frecuencia que no debía pasar detrás de los jugadores cuando iba a buscar las pelotas y devolvía con lentitud las que ella le enviaba; mientras tanto, Billy consiguió escapar de su cuidadora adolescente y fue a espiar desde la empalizada detrás de Joanna con sus ojos negros, gemía reclamando jugo de manzana, pero sólo tenían Seven-Up y él detestaba el Seven-Up. Ella lo obligó a regresar con la cuidadora, Ted perdió una pelota que pasó sobre la empalizada y usó una pelota que pertenecía a las dos parejas vecinas. Joanna se sentía humillada. Era un patán de los patios de la escuela primaria, un grosero. Esa noche, cuando él se acercó, Joanna hizo el amor mecánicamente, esperando que él terminara de una vez.

Al día siguiente, finalmente el último, dejó a Ted y a Billy en la piscina y bajó a la playa de la bahía. Se sentó en uno de los muelles, los ojos fijos en el agua aceitosa. ¿Sabían que ella estaba allí? ¿Les importaba? A ella no le importaba. Hubiera podido permanecer allí sentada varias horas, y no extrañarlos. Tan pronto regresara a la ciudad llamaría a Amy, para jugar el lunes por la mañana; había perdido una semana, Ted probablemente le había arruinado el juego con sus payasadas. Hacía mucho calor. ¿Eran las peores vacaciones que había conocido? ¿El peor momento que había vivido? Había botes de remos a disposición de los huéspedes. Encontró un bote vacío y lo ocupó. Hundió los remos un momento y después los recogió y flotó. Pasaban las lanchas de motor y el bote cabeceaba. Remó para evitar los efectos del oleaje, pero se limitó a flotar. ¿Cuál había sido su momento más feliz? ¿En el colegio secundario? ¿Cuando a Vicki Cole se le puso la cara roja de furia porque Marty Russell prefirió a Joanna en lugar de Vicki? Entonces supo que era bonita. ¿Dónde estaban ahora? ¿Vicki flotaba en un bote de remos, quién sabe dónde, preguntándose qué le había ocurrido? Ciertas cosas de la universidad no eran malas. El primer año en Nueva York había sido interesante, después hubo altibajos, pero cualquier cosa era mejor que aquello. Era tan aburrido, y cuando no era aburrido se salvaba del tedio sólo porque estaba tensa y peleaba con Billy; pero incluso las peleas eran ya tediosas, lo mismo que Ted y las vacaciones; eran un recurso para combatir el aburrimiento, pero la aburrían. Sintió deseos de arrojarse al agua. Era mejor que meter la cabeza en un horno. No convenía en un día tan caluroso. Sus padres llorarían mucho, y contribuirían a los gastos del funeral, tratarían de que fuese de lo mejor. Billy ya no tendría que soportar que ella le gritara. Ted se las arreglaría maravillosamente. Volvería a casarse al cabo de dos años con una vaca gorda del Bronx que le cocinara hasta que él adquiriese la misma forma esférica del padre, y que lo hiciera feliz aceptando su compañía más de lo que ella jamás le permitiría.

Cuando remó en dirección al muelle, los vio de pie al borde del agua. Eran sus hombres. Tenían una botella de leche atada a un cordel, con pan en su interior, y estaban atrapando pececillos. No habían advertido que ella no estaba.

—He ido hoy a J. Walter.

—¿De veras?

—Para hablar con gente y preguntar cosas.

—¿Y...?

—No hay muchas posibilidades.

—Claro que no. La situación es mala. ¿Acaso no

me redujeron el sueldo?

—Pero dijeron que me tendrían en cuenta.

—¡Joanna!

—Quería preguntar. ¿En qué te perjudica que haya ido a curiosear?

—Mira, si quieres que hablemos de esto, hablaremos. ¿Cuánto ganabas cuando dejaste el empleo? ¿Ciento setenta y cinco dólares semanales? Suponiendo que vuelvan a pagarte lo mismo, ¿cuánto traerás a casa? Quizá ciento treinta. ¿Y cuánto habrá que pagar a una mujer?

—Cien.

—Si tenemos suerte. De modo que te quedan treinta. Y en almuerzos, digamos doce semanales, y transporte, cinco, y un bocado por la tarde, tres..., es decir, veinte. De modo que tu trabajo nos deja unos diez dólares semanales. Con los cuales tienes que pagar la ropa nueva, para que *puedas* trabajar..., es decir, un jersey o una falda por mes, y ya tenemos déficit.

—No se trata del dinero.

—Se trata de eso. No estamos en condiciones de financiar tu trabajo.

—Tengo que hacer algo.

—Y Billy necesita un hogar ordenado. Caramba, Joanna, solamente tienes que esperar unos años. ¿Acaso quieres perturbar al chico?

En otros aspectos, Ted era tan flexible como cualquiera de los esposos de su medio social, y quizá más. Llevaba a Billy al parque, preparaba algunas de las comidas, las minutas que había aprendido a cocinar en sus tiempos de soltero. Había alcanzado un nivel de participación doméstica más elevado que el de su padre en el antiguo vecindario, y que los hombres de esa generación. Pero en el aspecto fundamental del trabajo de Joanna, para decirlo con las palabras de Billy, estaba un poco a la derecha de Fred Flint.

De tanto en tanto ella volvía a plantear el tema, pero la posición de Ted no variaba nunca.

—Mira, ¿por qué no dejamos este asunto y tenemos otro niño?

—Me voy a dormir. Puedes empezar sin mí.

Ella consagraba su tiempo a asuntos de logística, las compras, la cocina, la adquisición de ropas, traer a Billy aquí, llevarlo allá. Jugaba al tenis. Y pasaba el tiempo... con lentitud, pero pasaba. Tenía treinta y dos años. Tenía un hijito que pronto cumpliría cuatro. Se sentía especialmente feliz con él cuando el niño dormía tranquilo, y ella no necesitaba seguir peleando porque insistía en que el pequeño comiese crema de cacao.

Joanna leía artículos de revistas que explicaban su situación. No estaba chiflada. Otras madres, por lo menos algunas, sentían lo mismo. Ser madre y pasarse el día en la casa no era fácil. Era tedioso, y tenía derecho a irritarse, no era la única. Vivían en Nueva York y se comportaban como provincianas, ella, Thelma y Amy sentadas en los límites del campo de juegos, esperando que los niños crecieran, todo eso antes de las cinco de la tarde y las chuletas de cordero.

Ted sabía que ella estaba nerviosa. Creía que la ayudaba colaborando en la casa. Conversó con otros hombres, con Marv el vendedor de *Newsweek*, que le dijo que tampoco su matrimonio andaba muy bien; por lo que él sabía, todos los matrimonios tenían problemas. Pensaban trasladarse a la periferia para empezar de nuevo. Jim O'Connor, el gerente de publicidad, y esposo veterano de veinticinco años, reveló LA RESPUESTA mientras se servía un vaso de agua fría:

—Las mujeres son mujeres —dijo, gurú que al mediodía tenía olor a whisky en el aliento. Ted no discutía mucho con Joanna, más bien era una frialdad que se prolongaba. Ella a veces se mostraba contrariada, y rehuía el sexo alegando fatiga; a él le ocurría lo mismo. Parecía que ninguno de los dos mejoraba. Ted almorzó con Charlie el dentista; era la primera vez que conversaban solos, y no de los niños.

—Joanna y yo, bueno, las cosas no marchan...

—Charlie asintió con aire de conocedor. Los dentistas... ciudadanos sólidos. Explicó a Ted *su* respuesta. Hacía dos años que se acostaba con su enfermera y jodía con ella en el mismísimo sillón de dentista: una forma de matar el rato.

Pese a todo, Ted estaba convencido de que su matrimonio iba tan bien como cualquier otro. Quizá era suya la culpa de que ella se mostrase tan lejana. El había estado absorto en el trabajo, se había mostrado distante. Y ella todavía era tan hermosa. Debían tener otro bebé, eso los acercaría, como había ocurrido cuando nació Billy. Y no debían esperar. Ted, Joanna y otra bella personita. Sería una auténtica familia, recorriendo la ciudad en bicicleta como un anuncio. Los primeros años eran difíciles, pero poco a poco las cosas se facilitan y ellos ya habían pasado una vez por todo eso, cosa que podría ayudarles. Si pudieran dejar atrás esa etapa, en pocos años los niños dejarían de ser niños y se convertirían en una hermosa familia, su bella esposa, sus preciosos hijos. Y así, en cierto sentido un ser integral, en un universo perfecto cuyo centro fuera él mismo, el marido, el padre, en su dominio —después de tantos sentimientos antiguos y hondos que le decían que no era atractivo, después de tantas veces que sus padres lo habían desaprobado, después de tantos años de lucha para afirmarse—, pero tendría algo especial, un bello y pequeño imperio que él en su autoengaño pensaba construir con la arena extraída de una salvadera.

—Quiero un mantel con Carlitos.

—Sí, Billy.

—Quiero sombreros como los de Kim. Todos tienen bonetes de payaso. El mío es distinto.

—Está bien.

—Mami, escríbelo y así no te olvidarás.

—Lo escribo. Mantel de Carlitos, sombreros.

—Que sea de vaquero.

—Ya lo he hecho. ¿Ves la *v*? Es la primera letra de vaquero.

—¿Me harás otra torta?

—Claro que tendrás una torta. Ya la puse en la lista.

—¿Dónde dice torta?

—Aquí. Mira la *t* de torta.

—¿Una torta con figuras del Ratón Mickey?

—No sé si Baskin-Robbins hace tortas con el Ratón Mickey.

—Por favor, mami. Me gusta mucho el Ratón Mickey. Es mi favorito.

—Veré si Baskin-Robbins prepara tortas con el Ratón Mickey. Si no es así, preguntaremos en Carvel. Y si no tienen, te conformarás con el Pato Donald.

—El Pato Donald está bien, pero Ratón Mickey es mi favorito.

—Ya te he oído.

—Mami, voy a cumplir cuatro años. Ya soy grande, ¿verdad?

Diez chicos de cuatro años fueron acudiendo con sus disfraces y sus payasadas. Estaban en el mismo grupo de parvulario, y los cumpleaños de todos caían más o menos en la misma fecha; Billy iba a sus cumpleaños, ellos venían al suyo. Joanna y Billy planearon juntos el menú. La fiesta sería «fantástica», dijo él, y eso significaba pizza, soda y tarta helada. Encontraron la torta del Ratón Mickey en una sucursal cercana a Carvel, ella consiguió los canastillos para las golosinas; cierta vez, en su agencia, había organizado una elegante cena y reunión para cien ejecutivos y sus esposas en el Salón Arco Iris. También compró regalitos para los chicos. Compró el regalo de mami y papi para Billy, que ahora era un muchacho grande, un enorme Meccano; trató de que los dibujos de los platos de cartón y el mantel hicieran juego, y un domingo de abril, con Ted cerca para limpiar las manchas, llegaron los vándalos y destrozaron la casa; la pequeña Mami Aronson, que era alérgica al chocolate y no lo dijo tuvo que salir disparada de la reunión, y casi al mismo tiempo Joanna Kramer comenzó a tener urticaria.

—Ted, éste no es momento de jugar con un camión. Estamos limpiando.

—Sólo miraba. No estés tan nerviosa, no grites.

—Son las once de la noche. Quiero acostarme.

—Yo terminaré.

—No, nada de eso. No me gusta como limpias.

—Me alegro de no ser la mujer de la limpieza.

—No lo necesitas. Yo lo soy.

—Joanna, mírale el lado bueno. Fue una fiesta maravillosa.

—Tuvo que serlo. Me rompí el culo trabajando.

—Oye...

—¿Crees que todo esto se hizo solo? Los canastillos perfectos y los malditos dibujos del mantel y los platos. Me pasé tres días trabajando en esta fiesta de mierda.

—Billy se sintió muy feliz.

—Ya lo sé. Tuvo su torta del Ratón Mickey.

—Joanna...

—Organizo fiestas maravillosas para niños. Esa es mi profesión, fiestas maravillosas para los niños.

—Vamos a acostarnos.

—Claro. Esto puede esperar hasta mañana. De todos modos, yo estaré aquí para limpiar.

Se durmieron sin volver a hablar. Durante la noche ella se levantó y fue al cuarto de Billy, donde el niño dormía con su «gente», como él la llamaba: un osito, un perro, y Andy el Vagabundo. En el piso, los despojos del día: el enorme Meccano, el dominó, el camión Tonka y el juego de bolos que era el premio a la gran victoria de tener cuatro años. Ella sintió el impulso de despertarlo y decir: «Billy, Billy, no tengas cuatro años, ten uno solo, y empezaremos de nuevo y jugaré contigo, y nos reiremos y no te gritaré tanto ni pelearemos tanto, y podré abrazarte y besarte y quererte muchísimo, y los terribles dos años no serán terribles, yo seré una madre cariñosa, y los tres serán fantásticos, y después los cuatro... cuando cumplas cuatro serás mi hombrecito y sostendrás mi mano en la calle, y charlaremos de mil cosas; no seré perfecta, no puedo serlo, pero no seré mezquina, Billy, no tan mezquina, y te cuidaré y querré más, nos divertiremos mucho, de veras lo intentaré, si podemos empezar de nuevo.» Pero pasó a la cocina para no despertarlo con su llanto.

Se puso a puntuar su conducta. Cada vez que se irritaba o fastidiaba con él, lo cual era inevitable dada la simple mecánica de guiar a lo largo del día a un niño de cuatro años, el hecho probaba que ella era mala y perjudicial para el niño, y el nivel siguiente, que él la perjudicaba. Se puso a puntuar la conducta de Ted. Cada vez que él hacía algo poco elegante, como dejar una camisa sobre la silla, eso probaba que él era vulgar. Si hablaba del trabajo, en realidad mostraba verborrea y obsesión sexual. Por mucho que él creyese que ayudaba, de todos modos la tarea recaía sobre ella, y la casa, con respecto a la casa no había necesidad de llevar cuenta, la Dama de la Crema de Cacao lo hacía todo, y la más mínima tarea, las compras cotidianas, cada rollo de papel higiénico reemplazado, le parecía un insulto personal. Y las cenas eran otro insulto, porque ella tenía que prepararlas, planear el menú, comprar los alimentos, cocinarlos; Ted servía las bebidas, vaya esfuerzo, y Billy se despertaba de noche y pedía agua, mientras Ted dormía, todo recaía sobre ella, la presión, la terrible presión de soportar un día tras otro, y luego la urticaria que no desaparecía, y ella se pasaba las noches en vela, rascándose hasta que sangraba.

En medio de todo aquello Ted apareció con sus concepciones. Dijo que era extraño que la primera vez hubiese sentido tan escaso entusiasmo. Sabía qué difícil era tener un hijo. Ahora ayudaría todavía más. Para ellos no había sido maravilloso, pero un bebé los acercaría más.

—¿Recuerdas aquel momento en que Billy estaba naciendo y yo te sostenía, te apoyaba todo lo posible?

—¿Estabas allí?

—¡Por supuesto! Te sostenía y tú empujabas.

—¿De veras? No recuerdo bien si estabas.

El no se desalentó.

—Joanna, somos buenos padres.

—Sí, Ted, eres buen padre.

Y lo creía. Era bueno con Billy. Pero ¿qué se le había ocurrido ahora? ¿Otro bebé? ¿Cómo podía pensar semejante cosa? Todo la apremiaba. Y la picazón.

Al principio pensó dejarle una nota. Podía tomarse un tiempo para aclarar sus propias ideas. Incluso dudaba en escribirla de su puño y letra, con un carácter más personal, o dactilografiarla. Si la dactilografiaba obtendría una nota más clara, pero no tan personal. Después contempló la idea de enviar por correo una breve nota, sin remitente, una vez que se hubiese marchado. Finalmente llegó a la conclusión de que le debía más, la cortesía de una confrontación, un breve momento de preguntas y respuestas.

Billy se había dormido con su gente. Ella y Ted se disponían a retirar los platos, las hamburguesas, la trigésima vez que servían hamburguesas durante el año.

—Ted, voy a dejarte.

—*¿Qué?*

—Aquí me ahogo.

—¿Qué te ocurre aquí?

—Dije... que te dejo.

—No entiendo.

—Supongo que, en efecto, no entiendes. Empezaré de nuevo. Ted, me marcho. ¿Ahora comprendes?

—¿Es una broma?

—Ja, ja.

—Joanna...

—El matrimonio ha concluido.

—No lo creo.

—¿Por qué no empiezas a creerlo?

—Pero si hablábamos de tener otro niño.

—*Tú* hablaste.

—Joanna, hemos tenido problemas. Pero todos los tienen.

—Todos no me interesan.

—Ni siquiera peleamos mucho.

—No tenemos nada en común. Nada. Excepto

las facturas, las cenas y algunos momentos de cama.

—No comprendo.

—No es necesario que entiendas.

—¿Qué pasa? Caray, ¿qué error he cometido?

—Una mujer tiene que ser libre.

—De acuerdo. ¿Y?

—Que me ahogo. Tengo que irme.

—Absurdo. No lo acepto.

—¿No?

—No lo permitiré.

—¿De veras? Dentro de cinco minutos me iré, lo aceptes o no.

—Joanna, estas cosas no se hacen así. Así no.

—¿Por qué no?

—Primero tienes que intentar algo. Debemos hablar con alguien, consultar con alguien.

—Conozco a los terapeutas. La mayoría son gente de clase media interesada en el matrimonio.

—¿Qué dices?

—Lo dije. Tengo que irme. Me voy.

—Joanna...

—Las feministas me aplaudirán.

—¿Qué feministas? No veo a ninguna.

—Me marcho, Ted.

—Y ya que estamos en eso, ¿adónde?

—Lo ignoro.

—¿Lo ignoras?

—No importa.

—*¿Qué?*

—Lo que oyes. ¿Empiezas a comprender?

—Joanna, he oído decir que estas cosas ocurren a otra gente. Me parece increíble que nos ocurra a nosotros. No así. Es imposible que digas eso y te vayas.

—¿Qué importa cómo lo diga? Pensaba dejarte una nota. Quizá hubiera sido mejor.

—¿Qué somos, chicos de la primaria? ¿Crees que te estás separando de tu noviecito? ¡Estamos casados!

—Ted, no te amo. Odio mi vida. Odio estar aquí. Me siento tan presionada que creo que la cabeza me estallará.

—Joanna...

—No quiero estar aquí un día más, ni un minuto más.

—Averiguaré algún nombre. Un consejero matrimonial, no sé. Hay un modo más racional de afrontar esta situación.

—Ted, no me escuchas. Jamás me oyes. Me voy. Ya no estoy aquí.

—Oyeme, creo que a veces me he absorbido demasiado en el trabajo, no pensaba en otra cosa. Lo lamento.

—Ted, eso no importa. Nada significa. No tiene nada que ver con lo que eres... se trata de mí. No puedo vivir así. Asunto concluido. Necesito un lugar diferente para mí.

—¿Y qué debemos hacer? Quiero decir, ¿cómo resuelves los problemas prácticos? ¿Tengo que mudarme? ¿Hay otro tipo? ¿El viene a vivir aquí?

—No comprendes una palabra, ¿verdad?

—Quiero decir, lo planeaste todo. Maldita sea, ¿qué hacemos?

—Recojo mis maletas, que están preparadas, y dos mil dólares de nuestra cuenta de ahorros, y me voy.

—¿Te vas? ¿Y Billy? ¿Lo despertamos? Has preparado sus cosas?

Por primera vez, ella vaciló.

—No..., yo... no quiero a Billy. No me lo llevo. Estará mejor sin mí.

—¡Por Dios, Joanna! ¡Joanna!

Ella no pudo pronunciar una palabra más. Entró en el dormitorio, recogió su maleta y la bolsa de raquetas, se dirigió a la puerta del departamento, la abrió y salió. Ted permaneció inmóvil, mirándola. Estaba desconcertado. Creía seriamente que volvería una hora después.

CINCO

Se durmió cerca de las cinco de la mañana, cuando llegó a la conclusión de que no oiría el ruido de la llave en la cerradura ni la llamada telefónica para pedir disculpas, ya voy para casa, te quiero. A las siete y cuarto oyó voces en la casa. ¿Joanna? No. Batman y Robin. El despertador Batman y Robin de Billy entró en acción con las voces grabadas del dúo dinámico: «Por todos los demonios, Batman, nos necesitan de nuevo.» «De acuerdo, Robin. Tenemos que despertar a nuestros amigos.» ¿Para qué? ¿Para comenzar dónde? Ella le había traspasado el fardo, y ahora él tenía que decírselo a Billy. ¿Decirle qué?

—¿Dónde está mami? —No había podido evitarlo ni siquiera treinta segundos después de comenzar el día.

—Bueno, anoche mami y papi discutieron... —Se preguntó si siquiera eso era cierto. ¿Habían discutido?—. Y mami decidió irse un rato, para que se le pasara el enfado. Ya sabes, tú también a veces te enfadas, y sales golpeando la puerta, y no quieres que nadie entre, ¿verdad?

—Yo me enfadaba cuando mami no me daba una galletita.

—Eso mismo.

—Y golpeaba la puerta y no la dejaba entrar.

—Eso es. Mami está enfadada con papi, y quiere estar un rato sola.

—Oh.

—De modo que yo te llevaré a la escuela.

—Oh. ¿Cuándo volverá mami?

—No sé.

—¿Irá a buscarme a la escuela?

Apenas había pasado un minuto del día y ya se había complicado bastante.

—Yo iré, o Thelma.

Ayudó a vestir a Billy, preparó el desayuno y lo llevó al parvulario, donde los gatitos se divertían, y Billy estaría bien protegido del mundo de sus padres, y feliz, como un domador de leones de vacaciones. Ted no sabía muy bien si instalarse al lado del teléfono, ir a la oficina, llamar a la policía, dar un puntapié a los neumáticos de los automóviles o conseguir una mujer que cuidase a Billy durante la tarde. Mi esposa me ha abandonado. Qué irreal.

Siempre tropezaba con dificultades para decir mentiras inocentes. Jamás se declaraba enfermo para pasar un fin de semana de tres días. Creía que la persona que mentía era mala, y uno debía ser bueno incluso ahora, sabiendo que era inútil presentarse a trabajar ese día; no deseaba mentir. Pero uno no llama a la oficina con el mismo tono de voz que utiliza cuando comunica que está enfermo de gripe y dice: «Hoy no iré a trabajar. Mi esposa acaba de abandonarme.» Llamó a su secretaria y dijo:

—Dígale a Jim que no me siento bien —lo cual era cierto.

—¿Qué le pasa? —preguntó ella.

—No lo sé muy bien —lo cual también era relativamente cierto. Sencillamente, no podía mentir a su secretaria y decir que estaba enfermo, y sin embargo, en parte podía mentirse, como lo habría hecho cuando se convenció de que su matrimonio iba bastante bien.

Llamó a su vecina Thelma y le pidió que buscase a Billy en la escuela y lo tuviese con su hijita Kim. Thelma respondió que así lo haría..., ¿qué ocurría? Ya se lo explicaría. Que Billy se quedase allí a cenar. Ahora podía esperar hasta las siete a que Joanna volviese a casa y que ambos se perdonasen mutuamente.

Le parecía que lo más apropiado era llamar a un amigo. Eh, socorro. Ha sucedido algo jodido. No lo creerás... No sabía a quién llamar. Comprendió de pronto que su matrimonio lo había aislado mucho. No tenía amigos. Tenía amistades a las cuales invitaba a cenar. No tenía un compañero. Estaba el dentista Charlie, que parecía no escuchar la última vez que hablaron, y a quien le interesaba más explicar con ladino orgullo cómo se las arreglaba en su sillón odontológico. Marv, el vendedor de *Newsweek*, no era su amigo. Con Dan se reunía en los encuentros de fúlbol. Las conversaciones más profundas que habían celebrado se referían a las virtudes y defectos de los jugadores del equipo de los Gigantes. El y Larry se habían separado poco a poco desde los días de Fire Island. Larry seguía navegando en su artefacto cargado de chicas. Había comprado un automóvil nuevo, y su elección recayó en una camioneta destinada al transporte de mujeres entre lugares de veraneo. Ralph, el hermano de Ted, nunca había sido su amigo. Ralph vivía en Chicago, y solía visitarlo para pasar juntos la velada cuando pasaba por Nueva York. Durante el año no se comunicaban, sólo realizaban breves consultas cuando tenían que regalar algo a los padres, el día del aniversario, con el fin de evitar la repetición de regalos; era el hermano importante que ganaba mucho en el negocio de los licores y que nunca estaba. Antes tenía amigos en la vieja barriada, y luego en la Universidad, así había conocido a Larry y a Dan, y durante sus años de soltero se había relacionado con personas de distintas profesiones, amigos por un tiempo, pero ahora los había perdido de vista. Después se había mudado a un enclave de parejas casadas como la suya, y no conversaba regularmente con nadie.

Como necesitaba hablar con alguien, llamó a Larry. Lo encontró en la oficina de inmuebles donde Larry trabajaba.

—Ted, muchacho, ¿cómo estás?

—No muy bien. Joanna me ha dejado. Como te lo digo. Se marchó y me dejó al niño.

—Pero ¿por qué?

—No sé muy bien la causa.

—¿Qué piensas hacer?

—Todavía no lo sé.

—¿Dónde está?

—Lo ignoro.

—¿Se fue sin más?

—Sí, fue una cosa repentina.

—¿Hay algún tipo?

—No lo creo. Las feministas la aplaudirán.

—¿Qué?

—Eso me dijo.

—¡Te dejó con el chico! ¿Qué harás?

—No lo sé.

—¿En qué puedo ayudarte? ¿Quieres que vaya por ahí?

—En todo caso, me comunicaré contigo. Gracias, Larry.

No era muy satisfactorio, pero se había descargado un poco, y agotado emocional y físicamente durmió unas pocas horas y despertó sobresaltado; como cuando una persona tiene un atroz dolor de cabeza y procura eliminarlo durmiendo, y reaparece apenas abre los ojos; en efecto, abrió los ojos y, como antes, su esposa lo había abandonado dejándole al niño.

Ojalá pudiese llegar al viernes, y de ahí al fin de semana, tal vez ella regresase o llamase. Después que Thelma hubo llevado a Billy, lo acostó con especial cuidado y le leyó varios cuentos. No se mencionó el nombre de Joanna.

Arregló que Thelma volviese a ocuparse de Billy el viernes, y como ahora le debía una explicación dijo que él y Joanna habían tenido una «discrepancia», término que le pareció más discreto. Joanna había decidido «pasar sola unos días».

—Comprendo —dijo Thelma.

Ted llamó a la oficina y repitió la excusa de que no se sentía bien y anotó las llamadas telefónicas, ninguna de Joanna. Esperó la correspondencia, pero recibió solamente facturas. Esperó al lado del teléfono, y cuando sonó el timbre pegó un brinco, sólo para enterarse de que Teleprompter deseaba venderle accesorios de televisión que él ya tenía y que Larry quería venderle lo que no necesitaba.

—¿Cómo te va, muchacho?

—Así, así.

—Le conté el asunto a mi chica. Está desbordando compasión. ¿Por qué no consigues una cuidadora esta noche y...?

—No, debo quedarme aquí.

—...¿Y yo voy con ella, bebemos una copa y charlamos, me haces un guiño y yo me voy, como en los viejos tiempos?

—No lo creo conveniente, Larry, pero de todos modos gracias.

—A ella le encanta salvar gente. Es la Monja de la Jodienda.

—Larry, te llamaré.

Un día después, Ted ya aparecía en los chismorreos de la comunidad de solteros.

Por la noche, Ted y Billy siguieron las aventuras de Babar el Elefante que iba a Nueva York, a Washington, a otro planeta. ¿Estaría Joanna en alguno de esos sitios? Y cansado de los viajes de Babar, Ted apagó la luz. Media hora después, cuando Ted creía que Billy se había dormido, el niño llamó desde su cuarto.

—Papito, ¿cuándo viene mami?

Ted se preguntó por qué los niños eran siempre tan condenadamente francos.

—No lo sé, Billy. Ya lo pensaremos.

—¿Qué, papi?

—Ya veremos, duérmete. Mañana es sábado. Iremos en la bicicleta al zoológico, a divertirnos. Piensa en eso...

—¿Me comprarás pizza?

—Claro que sí.

—Bueno.

El niño se durmió contento. Fueron al zoológico y Billy pasó bien el día, y a las once de la mañana consiguió que el padre le comprase la pizza. Consiguió un paseo en el carrito tirado por el pony, una vuelta en el tiovivo, fueron a un campo de juegos local, trepó, se consiguió un amigo. Después, Ted llevó a Billy a un restaurante chino. Ted sentía que el agua le llegaba al cuello. Tenía que afrontar la situación, tomar decisiones. Podía seguir así quizá un día más, y luego sería lunes; necesitaba volver a trabajar... a menos que tomase algunos días de vacaciones para ganar más tiempo. Quizá Joanna regresara, o llamase.

El domingo a las ocho de la mañana el cartero entregó una carta certificada. Era para Billy y no tenía remitente. El matasellos era de Denver, Colorado.

—Es de mami, para ti.

—Léela, papi.

La carta estaba escrita a mano. Ted la leyó lentamente, de manera que Billy pudiese asimilarla, y también él.

«Mi querido y guapo Billy: Mami se ha ido. A veces, en el mundo, los papis se van y las mamis crían a sus hijitos. Pero otras veces se va una mami, y entonces te cría tu papi. Me voy porque necesito descubrir cosas interesantes que hacer en el mundo. Todos tienen que encontrar esas cosas, y también yo. Ser tu mami fue una de esas cosas, y además hay otras, y yo tengo que encontrarlas. No puedo decírtelo, y por eso ahora te lo escribo, para que lo sepas por mí. Por supuesto, siempre seré tu mami y te enviaré juguetes y tarjetas de cumpleaños. Claro que no seré una mami en la casa. Pero seré tu mami en el corazón. Y te enviaré besos que te llegarán cuando duermas. Ahora debo irme para ser la persona que tengo que ser. Obedece a tu papi. El será como tu osito Sabio. Muchos cariños, Mami.»

Ted calculó durante un instante el dolor que tenía que haber provocado en ella escribir la carta según el dolor que a él le causaba leerla. Billy tomó la carta para sostenerla en las manos. Después, la guardó en su cajón, donde tenía sus monedas especiales y las tarjetas de cumpleaños.

—¿Se ha ido mami?

—Sí, Billy.

—¿Para siempre, papi?

¡Maldita seas, Joanna puta! ¡Maldita seas!

—Parece que sí, Billy.

—¿Me enviará juguetes?

—Sí, piensa enviarte juguetes.

—Me gustan los juguetes.

El lunes, cuando llevó a Billy a la escuela, se apartó con la maestra y le dijo:

—La señora Kramer y yo hemos terminado nuestra relación.

Billy estaba a cargo de la maestra, y ésta debía ser informada para el caso de que el niño se mostrase inquieto. La maestra dijo que lo lamentaba de veras, y le aseguró que Billy estaría bien atendido, esa mañana se le encargaría la distribución de las golosinas.

Ted habría preferido con mucho ser ese día el encargado de distribuir las golosinas, y no el hombre que asegura el pan con mantequilla. Debía defender su empleo, sobre todo en aquellos momentos. Billy dependía absolutamente de él. Si era cierto, como él suponía que su categoría comercial se había elevado cuando se convirtió en jefe de una familia, ¿no descendía ahora que era cornudo? No, un cornudo era un individuo a quien se engañaba. El no estaba en esa situación. ¿Qué era?

—Infeliz hijo de puta —era la opinión de su gerente de publicidad.

—¿Lo abandonó, sin más? —preguntó Jim O'Connor.

—En efecto.

—¿Lo sorprendió con otra en la cama?

—No.

—¿Y usted a ella?

—Tampoco.

—Ted, está usted en un aprieto.

—Bueno, quería tomar ahora una semana de mis vacaciones. Emplearé el tiempo en organizarme.

—Lo invito a mi casa.

—Por supuesto, espero que todo esto no influya en mi rendimiento.

—Ted, para decirle la verdad, se desenvuelve muy bien. Mejor que la compañía. Quizá nos veamos obligados otra vez a bajar los sueldos.

A Ted se le endureció el rostro. ¿Acaso sus acciones descendían con tanta rapidez?

—Pero en vista de su situación, lo excluimos. ¿Comprende? Como no le rebajamos el sueldo, es como si se lo aumentáramos.

—Ojalá pudiese ir al Banco con ese cálculo.

—¿Y qué piensa hacer con el chico?

—¿Qué quiere decir?

—¿Lo va a tener con usted?

—Es mi hijo.

—¿No tiene abuelos? Le advierto que no le será fácil.

A Ted no se le había ocurrido nada que no fuese conservar a Billy. Pero O'Connor era un hombre práctico. Estaba planteando un problema. Ted se preguntó si O'Connor sabría algo que él ignoraba.

—Pensaba arreglármelas como pudiera.

—Si lo desea así...

¿Era eso lo que deseaba? Decidió examinar el interrogante formulado por O'Connor. ¿Qué significaba conservar a Billy? Pero primero tenía que hallarla. Y aunque la encontrase, ¿por qué ella tenía que cambiar de opinión? Había dicho que odiaba la vida que hacía. Que se ahogaba. Ted no podía concebir que de pronto ella se mostrase dispuesta a aceptar toda la presión de la cual, según afirmaba, quería escapar, y sólo porque él le siguiera los pasos hasta un motel, donde la encontraría con un amigo del tenis... ya comenzaba a imaginar escenas alrededor de Joanna. No, es mejor que la olvide. Muchacha, esta vez la hiciste buena.

¿Había otras alternativas? Era inconcebible enviar a un internado a un niño de cuatro años. ¿Los abuelos? Ted pensaba que sus propios padres se habían agotado representando el papel de abuelos con los dos hijos de Ralph durante los dos últimos años. A Ted le irritaba el escaso interés que demostraron por Billy en sus ocasionales visitas a Nueva York. Su padre se había metido en el dormitorio para ver las reposiciones de *El programa de Lucy* cuando a juicio de Ted el pequeño Billy hacía algo espectacular, por ejemplo sonreír. Su madre no cesaba de hablar de lo maravilloso que había sido Ralph en su infancia, o de lo maravillosos que habían sido los hijos de Ralph cuando eran pequeños. Si sus padres no podían interesarse por Billy durante un fin de semana en Nueva York, no parecía probable que se interesasen durante toda la temporada lluviosa de Florida. Sus suegros eran todo lo contrario. Mostraban un nerviosismo patológico: «No lo dejes allí, se caerá por la ventana.» «Mamá, las ventanas tienen defensas.» «Tiene fiebre.» «No, Harriet, el día tiene fiebre. ¡Estamos a cuarenta grados!» Podía entregarles a Billy y abrigar la esperanza de que el niño sobreviviera. Sin duda, con ellos Billy no se caería de ninguna ventana. Pero ¿les importaba el niño todavía? ¿Todavía eran los suegros de Ted? El asunto parecía absurdo. Ninguno de ellos podía tener a Billy. Era su hijo. Aquel rostro minúsculo le pertenecía. Ted haría todo lo posible. Era lo que él deseaba.

Fue a buscar a Billy a la escuela y lo llevó a casa. Llamó Thelma y le ofreció ocuparse del niño. Los chicos se llevaban bien. No era una imposición. Ella deseaba saber si había tenido noticias de Joanna. Pensó que debía una explicación a la gente, y por lo tanto dijo a Thelma que Joanna no volvería. Había renunciado a Billy. Thelma ahogó una exclamación. Ted la oyó por teléfono, una exclamación casi palpable.

—¡Santo Dios!

—No es el fin del mundo —dijo él, permitiéndose caer en la vulgaridad—. Es un comienzo.

—¡Santo Dios!

—Thelma, cualquiera diría que estamos en una comedia musical. Estas cosas suelen ocurrir —dijo, aunque no recordaba que le hubiese ocurrido a ninguno de sus conocidos.

El teléfono estuvo sonando durante el resto del día. El tenía una explicación rutinaria: por lo que parecía, Joanna había escapado de lo que consideraba una situación imposible. No, no había querido recibir ayuda profesional, y así estaban las cosas. La gente se ofrecía para cuidar al chico, comidas, todo lo que pudiese facilitar las cosas. Traédmela, pensaba él, lo único que quiero es que la traigan.

Mientras Billy jugaba en casa de Thelma, Ted examinó las ropas, los juguetes y las medicinas del niño, tratando de familiarizarse con sus necesidades. Joanna siempre se ocupaba de esos detalles.

Al día siguiente, Ted recibió una breve nota, también sin indicación de remitente; esta vez provenía del Lago Tahoe, Nevada, según se leía en el matasellos.

«Querido Ted: Hay cierto papeleo pendiente. He encomendado a un abogado que te envíe los documentos del divorcio. También te mando los documentos que necesitas para obtener la custodia legal de Billy. Joanna.»

Le pareció que era la nota más horrible que había leído en toda su vida.

SEIS

Antes de llamar a sus padres, o a sus suegros, o a nadie, llamó al señor González, quien de pronto se había convertido en la persona más importante del mundo. El señor González era el hombre que le había extendido la tarjeta de la American Express. Los 2.000 dólares que Joanna había retirado de la cuenta de ahorros era exactamente la suma que sus padres les habían regalado al casarse. Ted suponía que ella lo consideraba dinero propio. Ambos tenían tarjetas de la American Express, pero Ted era el titular de la póliza. Todos los saldos bancarios llegaban a sus manos. Y ella podía viajar por todas partes, volar a diferentes ciudades, firmar la cuenta de ginebra y agua tónica al borde de las piscinas, llevarse un gigoló a su cuarto, pero la cuenta siempre llegaba a Ted. Así, consideró que era un cornudo estilo moderno. Llamó al señor González y anuló las tarjetas; la compañía emitió una tarjeta a nombre de Ted, con un número diferente.

La señora Colby anunciaba en *The New York Times* y en las Páginas Amarillas: «Ayuda doméstica para personas exigentes.» En su condición de especialista en publicidad, Ted consideró que la palabra «exigentes» significaba «nosotros cobramos más». En todo caso, la señora Colby no ofrecía limpiacristales y cera para el piso, como parte de su personal, cosa que otras agencias hacían. Ted necesitaba una agencia dedicada a suministrar personas de confianza, que trabajaran para ganarse la vida. Al principio no estaba seguro de lo que deseaba realmente. Descubrió que estaba sumergido en cavilaciones que para él eran nuevas: ¿le interesa alguien que sepa limpiar más que cocinar, que sepa atender a los niños más que limpiar? Los amigos le decían: nunca encontrarás una persona eficaz en todo, y esto chocaba con su fantasía de una Mary Poppins capaz de arreglarle la vida. Había rechazado la idea de enviar a Billy a un centro diurno. Los centros diurnos de la ciudad eran un escándalo, fondos escasos, instalaciones mediocres, y de todos modos con su sueldo difícilmente podía pagarlo; además, deseaba que Billy se ajustara a una rutina más o menos normal. Fue a ver a la señora Colby en su oficina de la Avenida Madison. En las paredes había cartas de recomendación de distintas personas, desde delegados de las Naciones Unidas hasta presidentes de asociaciones municipales de Brooklyn. La oficina era una suerte de salón de té victoriano, y detrás de un escritorio estaba la señora Colby, una mujer nerviosa de más de sesenta años y acento británico.

—En fin, señor Kramer, ¿necesita un servicio completo o solamente de día?

—Yo creo que de día.

Ted había llegado a la conclusión de que una cuidadora que durmiera en casa le costaría un mínimo de 125 dólares semanales, cifra que excedía su presupuesto. Una estudiante universitaria podía vigilar a Billy y arreglar su habitación y preparar algunas comidas, pero quizá no fuera una influencia bastante estable. Ted quería una suplente de la mamá. Lo que estaba a su alcance y era más razonable era una mujer de nueve a seis, en la categoría de 90 a 100 dólares semanales y que hablase buen inglés. Su vecina Thelma había aconsejado a Ted acerca de este punto.

—Esa persona ha de estar mucho tiempo con Billy —le dijo—. No querrás que crezca con acento extranjero. —Al principio, el asunto divirtió a Ted, pero luego no.

La idea era que Billy no sintiese mucho la diferencia.

—Señora Colby, alguien que hable buen inglés.

—Oh, buen inglés. Bueno, ahora se acerca usted más a los 105 semanales que a 90 ó 100.

—¿Nada más que por un buen acento?

—Señor Kramer, por una persona eficaz. Aquí no recomendamos a gente sin valor.

—Está bien, más cerca de 105. —Ted advirtió que acababa de negociar un punto y que había perdido.

—Ahora tengo que conocer un poco su situación personal. ¿Se trata de usted mismo y su niño de cuatro años, según me dijo, y usted trabaja en publicidad?

—Sí.

—¿Y la señora Kramer?

—Cogió la puerta, señora Colby. —Una forma nueva de decirlo.

—Ah, sí. Ultimamente viene siendo frecuente.

—¿De veras?

—En efecto.

Señora, pensó Ted, aunque usted no lo sepa, en esta oficinita se siente el maldito pulso de la ciudad.

—Por supuesto, en general se trata de madres sin marido. Por el lado de las esposas sin padre tenemos los fallecimientos por causas normales, los ataques cardíacos, los que mueren en accidentes de tráfico, los accidentes absurdos, resbalar y caer por la escalera, y en el cuarto de baño, y los ahogados...

A Ted le pareció que la mujer parpadeaba mientras desplegaba los diferentes casos.

—...Los ataques cerebrales y...

—Comprendo, comprendo.

—Pero también hemos tenido unos pocos casos de... «coger la puerta», como usted dijo. Hace poco conocí un caso, una mujer de treinta y ocho años con dos niñas, una de diez y otra de siete; no dejó una nota, nada. Solamente sacó del armario todas las camisas almidonadas del marido y defecó sobre ellas.

—Señora Colby...

—Acabó internada, por lo que yo no diría que cogió la puerta, precisamente. Más bien era una débil mental.

—Por favor, ¿podemos hablar de las candidatas?

—Tengo tres personas excelentes. En el nivel de 115 semanales.

—Usted dijo que se aproximaría a 105.

—Déjeme ver las tarjetas. Ah, sí, 110.

—Señora Colby, ¿nunca se le ocurrió vender espacios de publicidad?

—¿Cómo dice?

—Envíeme a esa gente y después hablaremos del precio. Después de las nueve de la noche en mi casa. Y me gustaría resolver cuanto antes este asunto.

—Muy bien, señor Kramer. Lo llamaré más tarde.

Llegaron Thelma y Charlie, Thelma con un trozo de carne asada. Era una mujer esbelta y atractiva, de poco más de treinta años, y su secreto era una combinación de cosmética norteamericana, cabellos teñidos, lentillas de contacto que le hacían bizquear, las telas más modernas, la más reciente moda dietética; si hubiera estado un escalón económico o dos más abajo habría sido simplemente una mujer común, lo que era cuando se cansaba y se le veían las arrugas. Comenzaba a desmoronarse. La actitud de Joanna la había desequilibrado y la había obligado a afrontar los problemas de su propio matrimonio y a retornar a la terapia.

—Me gustaría saber por qué lo hizo —dijo.

—Tal vez simplemente perdió la chaveta —sugirió

Charlie, que caminaba de puntillas por la habitación, como si estuviera pisando huevos.

—Es evidente que mi marido es dentista, y no psiquiatra —dijo ella con aspereza, mientras Ted evitaba los ojos de ambos, con su culpable información acerca de Charlie.

—Mirad, ella habló de buscar un trabajo y yo le dije que costaría demasiado. Y ahora me veo en la necesidad de pagar una cuidadora, y no tengo el dinero que ella habría traído de haberse quedado.

—Qué extraño —dijo Charlie—. Pagas porque sí, y pagas porque no —y se rió estrepitosamente de su propia observación, que no era tan divertida para ninguno de los que estaban allí.

—¡Cállate, Charlie! —gritó Thelma, y Ted comprendió que su propia situación de pronto se había convertido en escenario de las batallas del matrimonio amigo—. ¿No ves que este hombre sufre? —dijo, tratando de disimular su propio sufrimiento. Ted pensó que ella sabía. Todos sabían que Charlie tenía aventuras.

—Pero ¿por qué se fue así? ¿Acaso ustedes no os hablabais? —dijo Thelma en un tono que era una crítica a los hombres presentes.

—Creo que no mucho.

—Bueno, no quiero lastimarte, Ted. De modo que no me interpretes mal. Pero pienso que en cierto modo demostró coraje.

—Thelma, no seas idiota.

—¡Charlie cierra tu sucia boca! Lo que quiero decir es que se necesita coraje para hacer una cosa tan antisocial. Y por eso hasta cierto punto la respeto.

—Thelma, no creo que ella haya demostrado coraje. ¡A mí no me parece que salir corriendo indique valor! —la cólera que había tratado de contener comenzaba a manifestarse—. ¡Y toda esa basura feminista! Joanna no era más feminista que..., que Charlie.

—Ted, no me metas en este asunto, ¿quieres?

—¿En qué cambia las cosas saber por qué se fue? ¡Se marchó! Thelma, cualquiera diría que el asunto te interesa más que a mí.

—¿De veras, Ted?

—Este condenado juego terminó. Eres como los vendedores que repiten siempre últimas ofertas. ¿Qué pasa si nos comunicábamos? El juego terminó. ¡Se fue!

—Y si vuelve, nunca sabrás por qué te dejó.

—¡No piensa volver!

Buscó la nota de Joanna, que había quedado sobre la mesa. ¿Deseaban datos para murmurar? Pues que vieran la sordidez de todo el asunto. Entregó la nota a Thelma. Ella la leyó rápidamente, incómoda ante el sesgo que la escena había cobrado. Ted le quitó la nota y la entregó a Charlie.

—Bonito, ¿eh? ¿Una heroína? No es más que una desertora de mierda. Y se fue, eso es todo, se fue.

Recuperó la nota, la arrugó y la arrojó a la chimenea.

—Ted —dijo Thelma—, tal vez sea buena idea..., aunque a Joanna no le gustaba... consulta a un profesional. Podrías hablar con mi terapeuta.

—¿Para qué necesito un terapeuta si tengo tan buenos amigos?

—Mira, Ted, no hay razón para que te irrites —dijo Charlie—. Comprendo que estés conmovido...

—Es cierto. Y ahora me gustaría estar solo. Os agradezco la carne asada y la conversación tan útil.

—Ted, no te perjudica tener conciencia de ti mismo —dijo Thelma.

Se despidieron con expresión severa, y Thelma y Ted intercambiaron besos sin tocarse. El no deseaba alcanzar mayor conciencia de sí mismo de la que ya tenía, ni recibir más explicaciones de la conducta de Joanna de la que ya poseía. No soportaba más teorías de sus amigos. Que arreglaran sus propios matrimonios sin examinar el suyo. Sólo anhelaba conseguir una mujer que se encargara de la casa y que le permitiera vivir ordenadamente; una rutina, alguien que atendiese a Billy en la casa; y tan pronto lo lograse, Joanna habría muerto para él.

La señora Colby arregló una entrevista con cierta señorita Evans. Era una anciana menuda que demostró una notable capacidad verbal, y que habló sin parar de sus propias necesidades dietéticas. Queso graso Breakstone, no de otra marca, yogur Dannon, no Sealtest, pan sin sal de la tienda de alimentos dietéticos, no esos panes en los cuales meten azúcar. Cuando pidió examinar la casa y ante todo reclamó ver dónde estaba el cuarto de baño —destacó que no necesitaba usarlo, sólo quería mirar —incluso antes de pedir que se le mostrara a Billy, que dormía, Ted decidió que ambos eran dietéticamente incompatibles.

Localizó a cierta señora Roberts que había publicado un anuncio en el *Times*. Decía: «Buena cocinera. Buena con los niños.» Llegó y vio que era una portorriqueña inmensa, y podía imaginarse que la representaba un agente, puesto que había publicado un anuncio tan apropiado y tenía un nombre anglosajón como Roberts, aunque hablaba un inglés apenas inteliglible.

—Trabajo con muchos diplomáticos españoles —entendió Ted, después de traducir lo que ella había dicho.

—Comprendo —dijo él, cortés.

—Muchos ejecutivos españoles. —Nueva traducción de Ted.

Ya estaban llegando al asunto.

—Bueno, tengo un hijo pequeño.

—¿Y su mujer?

—Se fue.

—Loco —dijo ella.

Le pellizcó entusiasta la mejilla, un buen pellizco. Ted no pudo aclarar si era un pellizco fraterno o sexual, pero le dolió.

—¿Tiene experiencia con niños?

—Tengo seis bebés. En Puerto Rico. En el Bronx. El más pequeño tiene veintidós años. Mecánico.

Si empleaba a la señora Roberts, seguramente Billy hablaría español cuando cumpliese los cinco años.

—Gran tipo.

—¿Perdón?

—Usted es un gran tipo.

O ella estaba deslizando una sugerencia impropia o su agente le había recomendado su enfoque muy vigoroso. En todo caso, el desarrollo de la conversación reveló que la señora Roberts por el momento no estaba libre. Se tomaría vacaciones en Puerto Rico, donde su marido trabajaba ahora para un diplomático. Cuando se marchó, Ted pasó revista a la serie de deformaciones del idioma inglés que había aprendido durante la última media hora, y llegó a la conclusión de que la señora Roberts era una gran tipa, pero él no había encontrado a su Mary Poppins.

Habló a otras agencias de empleo, revisó los anuncios de los diarios y desenterró a unas cuantas mujeres que hacían «servicio sin habitación»: una atractiva jamaiqueña de voz cantarina que a Ted hubiese gustado tener para que le leyese a la hora de dormir, o que quizá no le leyese, pero que estaba disponible sólo en el verano; una dama de aire severo que se presentó a la entrevista con un uniforme blanco almidonado y la cara también almidonada; una abuela inglesa jubilada, que según afirmó había conocido a varias generaciones de niños que la llamaban Abuelita, pero que ya no estaba dispuesta a trabajar toda la jornada —¿no podía emplearla dos días y medio por semana?— y una dama irlandesa con mucho acento que decidió finalizar la entrevista criticando severamente a Ted por permitir que su esposa se marchase. Era evidente que no estaba bien de la cabeza. La señora Colby llamó y dijo que entendía que su misión en la vida era hallar la persona apropiada para Ted en el curso de pocas horas, pues se interesaba personalmente en su caso, en vista del destino infortunado de la esposa; Dios sabía por qué las anotaciones referentes a Joanna se le habían confundido con las que se referían a accidentes de carretera y a personas ahogadas en el mar.

La señora Colby le envió cuatro personas, una de la categoría de 125 dólares, aspecto informado inmediatamente por la propia interesada; ¿tenía él cocinera? Otra, una mujer muy distraída, que le pareció bastante agradable, pero resultó que había olvidado que ya tenía otro empleo, y tenía que comenzar en agosto. Una mujer regordeta que emitía risitas y que pareció posible, excepto que después llamó para informar que había conseguido un empleo con habitación incluida por más sueldo. Y una sueca, la señora Larson, que consideró que el departamento era demasiado sucio para ella, con lo cual Ted se sintió muy incómodo, ya que había barrido y lavado cuidadosamente todo, con el propósito de que ninguna sueca lo considerase demasiado sucio.

Estaba pensando publicar un anuncio en los diarios, pero no deseaba que lo visitara toda clase de locas. En cambio, fijó un anuncio en lo que venía a ser un diario mural de la comunidad, es decir, una pared en el supermercado, a una calle de distancia. «Mujer para trabajo doméstico, 9 a 6. Buena familia.» Había oído la frase con bastante frecuencia. «Yo trabajo solamente para las buenas familias.» Recibió una llamada de cierta señora Etta Willewska, quien dijo que vivía en el barrio y hacía tiempo no realizaba esa clase de trabajo, pero tenía interés. Era una polaca baja y ancha, rostro de querube, inadecuadamente vestida para la entrevista con lo que parecía ser su mejor vestido, un conjunto negro muy formal. Tenía un acento poco firme; ella y el marido habían adquirido la ciudadanía hacía treinta años, afirmó orgullosamente. Tenían un hijo casado. Se había ocupado de la casa muchos años, y después casi siempre había trabajado en lavanderías industriales. Su marido trabajaba en una fábrica de Long Island. Creía que podía volver a trabajar para una buena familia. Después formuló una pregunta a Ted. Era algo que ninguna de las otras se había molestado en preguntar.

—¿Qué clase de chico es?

Ted no estaba seguro. Podía ofrecer una definición general, pero nunca se había visto obligado a definir la personalidad de Billy.

—Es muy bueno. A veces es tímido. Le gusta jugar. Habla bien. —No supo qué más decir.

—¿Puedo verlo? —preguntó la mujer.

Espiaron desde la puerta. Billy dormía con su gente.

—Es muy bonito —murmuró la mujer.

La luz del vestíbulo cayó sobre la cara del niño, que despertó de pronto.

—Tranquilízate, querido. Soy yo. Soy la señora Willewska.

—La señora Willewska —dijo Billy con voz fatigada.

—Duerme otra vez.

Cuando cerraron la puerta, la mujer dijo:

—Es muy inteligente. Dijo mi nombre sin equivocarse. Mucha gente no lo consigue.

Ted caviló acerca de la responsabilidad de tener un nombre que mucha gente no puede pronunciar sin equivocarse.

—No sé si es inteligente. A los cuatro años es difícil saberlo. Pero creo que lo es.

—Señor Kramer, usted es un hombre muy afortunado.

El no lo había creído así durante los últimos días.

Hablaron en general de las obligaciones del empleo, y él dijo que ofrecía 110 dólares; por lo menos podía mantener la cifra que había pedido la señora Colby. ¿Podía ella ir algunas horas para que se conocieran? ¿Podía empezar el lunes? Ella respondió que con mucho gusto trabajaría para él y se ocuparía de William. Antes de salir preguntó la clase de comidas que gustaban a Ted cuando volvía del trabajo. Esa parte del asunto había pasado completamente inadvertida para el propio Ted.

De modo que ahora tenía a una señora de rostro de querube que se ocuparía de las comidas y atendería a Billy. Thelma le había aconsejado que cuando tomase a una persona confiara en sus sentimientos e intuía que había encontrado a la persona indicada. Llamó a la señora Colby y le dijo que había encontrado a alguien. Perdida entre fichas, la señora Colby dijo que confiaba en que la esposa de Ted se sintiera mejor.

Ahora Ted podía hacer otras llamadas. Había remontado la corriente. Podía decir a sus propios padres: «Mi esposa se fue, esperad, nada de nervios, tenemos una mujer maravillosa, el asunto se ha arreglado gracias a mí.» Podría decir a sus ex suegros: «¿Sabéis dónde está Joanna? Como sabéis, se marchó. Tenemos una mujer, una mujer maravillosa», y también podía decir: «No necesito ayuda, no necesito nada de vosotros. Yo cuido de él. Nos arreglaremos.»

Entró en el cuarto de Billy y permaneció de pie al lado de la cama, mirándolo. ¿Qué clase de niño *era*? ¿Era posible saberlo a la edad de cuatro años? ¿Qué clase de niño sería? ¿Qué clase de vida llevarían ambos?

Nos arreglaremos, Billy. Tenemos a la señora Willewska. Nos tenemos uno al otro.

El niño se movió en el sueño, inmerso en sus ensoñaciones infantiles. Movió los labios, murmurando palabras ininteligibles. Era fascinante, pero Ted no podía escuchar, espiar así en su mundo privado. Se sentía como un intruso. Pequeño, no te preocupes. Nos arreglaremos. Lo besó y salió del cuarto. El niño navegaba en sus sueños. Decía algo a propósito de «Snoopy».

SIETE

Histérica, más o menos. Gritaba:

—¿Qué quieres decir con eso de que os ha abandonado a ti y al bebé? ¿Qué quieres decir? —Su madre aullaba, y lo repetía como si la repetición fuese necesaria para registrarlo en su propio cerebro—. ¿Se fue, y nada más? ¿Te dejó, abandonó al bebé? ¡Ahhh! —Un alarido que le llegaba a Ted desde su propia niñez. «Qué significa lo que dicen, que te descubrieron espiando en el cine RKO Fordham? ¿Cómo es que el dueño te tiene en la oficina?» El dueño del cine conocía a la familia. El padre de Ted tenía un pequeño restaurante en la calle Fordham y el dueño llamó al negocio en lugar de avisar a la policía. El y Johnny Marin estaban deslizándose por la puerta lateral en el mismo instante en que Jimmy Perreri la abría desde adentro, y se deslizaban en las sombras del RKO Fordham como los comandos de *Acción de comandos al alba;* pero los atrapó el acomodador, y se disponían a enviarlos como a los convictos dc *Entre rejas.* «¿Cómo se atreve a decir que mi hijo es un delincuente? ¡Ahhh!» «No sabía que te interesara eso, muchacho», le dijo su hermano después que el dueño del cine hubo entregado al terrible delincuente a cambio de una fuente de pavo al horno.

Antes del nacimiento de Billy, Ted y Joanna habían ido a Fort Lauderdale para ver la nueva propiedad de Dora y Harold Kramer, un apartamento con jardín, cerca de una piscina. Mientras Harold miraba la televisión, Dora los llevó a visitar el jardín.

—Este es mi hijo menor, Ted, y su esposa —decía.

Al borde de la piscina se identificaba a los hijos por la ocupación, y a las hijas y las nueras por las profesiones de sus maridos.

—Ted es vendedor —decía Dora, pero nunca mencionaba que vendía espacios de publicidad, porque ella misma aún no sabía muy bien qué era eso. Habría sido más fácil explicarlo si se hubiera tratado de un gran mayorista de licores, como su hermano. Por ejemplo:

—Este es mi hijo mayor Ralph, es un importante mayorista de licores —o médico, como el hijo de Simons.

—¿Qué os ha pasado?

—Que hemos roto nuestro matrimonio.

—¿Cómo podéis haber hecho cosa semejante?

—Es muy moderno.

—¿Quién permite eso?

—¿Ted?

Su padre se retiró del partido que estaba viendo

por televisión, después de demorarse lo suficiente para tener la certeza de que el asunto merecía que él se acercara al teléfono.

—¿Cómo estás, papá?

—¿Permitiste que tu esposa te abandonara?

—No fue una decisión adoptada democráticamente.

—Y abandonó al niño. ¡Ahhh!

Ahora aullaba *él.* Sin duda se sentía enormemente avergonzado. Ted nunca había oído a su padre aullar como su madre.

—Está todo en orden.

—¿Orden? —dijo su madre con un chillido—. ¿Cómo puede ser que todo esté ordenado?

—Mamá, escucha...

—Tu esposa te ha dejado y...

—He empleado a una mujer, una señora excelente. Crió a su propio hijo, y estuvo a cargo de otros niños.

—¿Qué es? —preguntó inmediatamente Dora.

—Eh... polaca.

—Bien. Son trabajadoras. Ah, ¿qué importa? Es una tragedia, una vergüenza.

—Es muy buena. Vendrá todos los días y se ocupará de la casa.

—Una vergüenza. Tu mujer. Es una perdida. ¡Una perdida!

—Mamá, Joanna probablemente es muchas cosas, y algunas ni yo las conozco. ¡Pero una perdida! —dijo, tratando de contener la risa—. ¿De dónde sacas que es una perdida?

—Una perdida —insistió ella, con acento terminante.

—Una puta —agregó el padre, para subrayar mejor la definición.

Había intentado presentar una situación clara, bien ordenada. No lo había conseguido. Cuando cortó, seguía riéndose por lo bajo. ¿Cómo habían conseguido convertir a Joanna en una perdida y una puta?

Ella lo llamaba William; él la llamaba señora Willewska. También Ted la llamaba señora Willewska; ella lo llamaba señor Kramer, y el carácter formal del trato agradaba a Ted. Era como si formase parte de una vieja familia, por ejemplo, los Kennedy, acostumbrada a tener criados. Era una mujer amable y discreta, y se mostraba intuitiva con el niño. Para Billy, la desaparición de su madre era todavía una idea insondable. En cambio, eran reales los detalles de su vida; ¿quién me lleva a la escuela, quién va a buscarme, quién me prepara la comida cuando veo la televisión, quién me sirve la cena, quién hace lo que hacía mami? Eran cosas tangibles, y la posibilidad de que todo ello fuese imprevisible lo atemorizaba. La ausencia de su madre no significaba la destrucción de su mundo. Pero era muy grave que nadie le diese su bocadillo de crema de cacao. Durante la búsqueda de una mujer, ésas fueron las inquietudes de Billy, y se reflejaban en sus preguntas nerviosas acerca de las horas de llegar y salir para la escuela, los encuentros, las comidas, ¿quién hace qué, quién se queda dónde? Con la llegada de Etta Willewska lo insondable no varió..., ¿no habrá mami? Pero todo el resto se resolvió. De eso se ocupó la señora Willewska. Pocos días después, Billy ya decía:

—Papi, la señora Willewska dice que no puedo comer otra galletita. Ya me he comido una.

Cierta mañana en que Ted los acompañaba a la escuela fue a cruzar la calle.

—Papi, está en rojo y eso significa que no puedes pasar.

—Señor Kramer, cruzamos únicamente cuando está en verde. Así él aprende.

—Muy bien. Señora Willewska, *yo* también quiero que me tome de la mano y me cruce.

Gracias a ella habían alcanzado cierta estabilidad. En el fondo, ambos continuaban desconcertados. Pero en los detalles, en los bocadillos de crema de cacao y en cruzar y no cruzar... la señora Willewska producía ese efecto.

Informó a la gente de la oficina que: «Mi esposa se fue de casa y se desentendió del chico», y generalmente decía: «Pero nos arreglaremos bien con una institutriz fabulosa», y esta parte la mencionaba rápidamente, para evitar las preguntas específicas.

Después de varios días de actividad normal en el trabajo, y cuando en la casa ya se había establecido una rutina regular, decidió llamar a los padres de Joanna, pues no había tenido noticias de ellos. Quizá sabían dónde estaba Joanna. No lo sabían. Ella había dejado a cargo de Ted el informarles del asunto.

—¿No sabéis nada?

—¿Si sabemos qué?

—Harriet, Joanna nos abandonó. Se fue. Nos dejó a Billy y a mí, porque necesita encontrarse a sí misma. —Realmente eres muy astuta. ¿Querías que yo me ocupase de esto? Del otro lado hubo una larga pausa—. Yo abrigaba la esperanza de que ella les hubiese explicado algo.

—¿Abandonó a su hijo? ¿A su propio hijo?

—Y a su marido. También me dejó.

—¿Qué le hiciste?

—Nada, Harriet, no le pedí que se marchara.

—Creo que voy a sufrir un ataque al corazón.

—Harriet, tranquilízate. ¿Dónde está Sam?

—Al fondo.

—Llámalo. Esperaré.

—Voy a sufrir un ataque al corazón.

—Cuida tu corazón. Llama a Sam.

Supuse que una persona que podía anunciar su próximo ataque cardíaco no corría mucho peligro.

—¿Hola?

—Sam, ¿está bien Harriet?

—Está sentada.

—¿Te ha explicado algo?

—¿Cómo te atreves a llamar para decir semejante cosa?

—Bien, quizá debía haber escrito.

—¿Joanna abandonó a su hijo?

—Sí, ella...

—¿A ese niño tan guapo?

—Dijo que necesitaba hacerlo, por ella misma.

—Creo que me va a dar un ataque al corazón...

—Un momento, Sam...

—Me va a dar un ataque al corazón. Harriet, habla con él. Tengo un ataque al corazón.

—Sam, no hay ataque al corazón si puedes contarlo.

Ted lo sabía del último caso que había visto.

—Ted, soy yo.. Harriet. Sam está sentado.

—¿Se siente bien?

—Ahora no podemos hablar contigo. Tu noticia nos ha trastornado. No todos tenemos tu cachaza.

Y cortó la comunicación.

Durante la semana, Ted regresaba generalmente alrededor de las seis; él y Billy cenaban juntos, después bañaba al niño y los dos jugaban un rato, Ted le leía un cuento, y a eso de las siete y media Billy se acostaba. Era una hora y media que pasaba velozmente. Los fines de semana, que eran los días libres de Etta, representaban períodos de tiempo prolongados e ininterrumpidos; y deseoso de ocupar el tiempo y mantener feliz y atareado a Billy, Ted dedicaba esos días a verdaderas giras por la ciudad de Nueva York. Esa mañana proyectaba llevarlo al Museo de Historia Natural. Se oyó el timbre de la puerta de entrada, y cuando abrió se encontró con los padres de Joanna. Entraron con paso rápido, y se dispersaron por el apartamento como policías que han recibido una denuncia. Cuando abrieron una puerta descubrieron a un niño pequeño mirando la televisión, y lo sobresaltaron con una catarata de abrazos y besos y libros de dibujos. Recorrieron el resto de la casa y después de establecer personalmente las pruebas, Harriet anunció:

—No está aquí.

Sam revisó de nuevo la casa, como creyendo en la posibilidad de hallar un indicio importante, y examinó atentamente a Billy, que no se había movido: había llegado *La compañía Eléctrica* con el Hombre Araña, y era más importante que los abuelos, incluso los de Boston. Sam chasqueó la lengua, «tsk, tsk», de pie frente al niño, y después se desplomó en el diván.

Era una pareja atractiva. Ella era menuda, con un aire juvenil a sus cincuenta años, ojos oscuros, el cabello encanecido. Él tenía rostro agradable y arrugado, un hombre de buena presencia, con llamativos cabellos blancos. Ted había olvidado la impresión que producían. Sin duda, Joanna era hija de ambos, y por las venas de Billy corría la misma sangre. Se había equivocado al creer que el niño no les importaría.

—¿Qué explicación puedes ofrecernos? —preguntó secamente el padre de Joanna. Se hubiera dicho que había ensayado el comienzo durante todo el viaje desde Boston.

Ted relató las circunstancias de la partida de Joanna, procurando dar al asunto un tono objetivo, citando con exactitud las observaciones de su esposa —¿habrías hecho lo mismo por mí?— y ellos escucharon, entrecerrando los ojos como si estuvieran esforzándose por entender a alguien que hablaba en un idioma extranjero.

—Ella nunca nos trajo problemas —dijo la madre.

—Bueno, ahora lo hace —respondió Ted, subrayando su posición.

Les parecía incomprensible. Le habían entregado una bella joven, y él la había tratado así. Comenzaron a rememorar los triunfos precoces de Joanna, los tiempos anteriores a Ted. Olvidando la presencia del propio Ted, recuerdas qué bonita estaba la noche de... A continuación se hundían en prolongados silencios. Billy habló desde el dormitorio de Ted, donde estaba el televisor; quería saber si podía ver la Abeja Maya. ¡El niño, el niño! Se pusieron bruscamente de pie y se precipitaron en el interior del cuarto, para asegurarse de que *él* aún estaba allí, y lo besaron y abrazaron de nuevo, mientras Billy alzaba los ojos, sin saber por qué aquella gente insistía en besarlo y abrazarlo mientras él miraba la televisión. Recorrieron la casa, inspeccionaban todos los cierres de las ventanas. ¿Cómo se las arreglaría Ted? No estaba en condiciones de ocuparse de un niño. ¿Quién era esa cuidadora? ¿Conocía el caso de la enfermera que había secuestrado al niño para asesinarlo? ¿Por qué Billy veía tanto la televisión? ¿Qué comía? ¿Quién se ocuparía de sus ropas? Ted trató de afrontar el interrogatorio, pero ellos no escuchaban las respuestas. Seguían revisando la casa. ¿Caramelos? ¿Aquí hay caramelos?, preguntó el farmacéutico. ¿No sabes que el azúcar es malo para su cuerpo, que los caramelos le arruinan los dientes? Ted trató de tranquilizarse. Viven en Boston. Deseaban que la señora Willewska se sometiese a la investigación personal que ellos realizarían en su día libre. Se negó. Querían llevar a Billy al zoológico. Ted dijo que estaba de acuerdo, pero nada de «tsk, tsk» acerca de Joanna mientras estuvieran con Billy, porque podía serle perjudicial. Entonces volvieron a recordar a Joanna.

—La educamos bien. No sé qué le habrás hecho —dijo Harriet.

—Quizá se trata de eso —contestó Ted—. Tal vez fuera una mocosa malcriada y nada más, y cuando las cosas se le pusieron difíciles se comportó como una mocosa malcriada.

—¡No hables así de mi hija! —gritó Sam.

—Shhh. ¡El niño! —advirtió Harriet.

Más besos y abrazos para el agobiado Billy, y Ted los despachó al zoológico y fue a un cine del barrio, donde vio una película de vaqueros que felizmente no tenía nada que ver con él. Regresaron tarde, Billy pringado de caramelo, la camisa manchada con pizza. Niños: 2, farmacéuticos: 0. Pensaban quedarse otro día en Nueva York para estar con el nieto, pero prefirieron un cuarto de hotel al diván que les ofreció Ted, que procuraba mostrarse cortés.

Harriet y Sam aparecieron en el apartamento a las ocho de la mañana siguiente, dispuestos a recorrer la ciudad. Billy deseaba volver al zoológico, de modo que allí fueron a despertar a los animales. Regresaron a primera hora de la tarde.

—Vamos a dar un trote —dijo Harriet a su nieto.

Trote, trote para Boston, trote, trote para Lynne, y el que no tiene cuidado se parte la nariz. Un juego infantil que Joanna solía jugar con Billy. Cruzó como un relámpago la mente de Ted. Ella se había llevado sus ropas, pero había dejado algunos ecos.

—Bien, si tenéis noticias de Joanna —dijo a los padres— decidle —no sabía muy bien qué mensaje transmitir— que nos arreglamos.

—¿De veras? —dijo ella—. ¿Crees de veras que os arregláis?

El equipo investigador salió sin estrechar la mano de Ted. Los padres de Joanna habían llegado a una conclusión. Habían encontrado a Ted culpable de arruinar a su hija.

Durante las semanas siguientes, a medida que la gente iba entendiendo que Joanna Kramer había abandonado realmente a su marido y a su hijo, comenzaron a interpretar el episodio de acuerdo con lo que cada uno necesitaba para sentirse cómodo. Larry lo consideró una oportunidad para convencer a Ted de que saliera con mujeres. Ted le dijo que en ese momento no estaba interesado en la vida social, no tenía la cabeza para eso.

—¿Quién habla de tu cabeza? —dijo Larry.

Si podía conseguir que su gran amigo Ted tuviese aventuras como las del propio Larry, podía decirse que ese género de actividad se justificaba; no era una cosa tan frenética como afirmaban algunas de sus amigas. Después de todo, Ted Kramer también estaba en algo parecido.

Los padres de Ted ocupaban el extremo opuesto del espectro social. Opinaban que para él lo importante era casarse. Les tenía sin cuidado que fuera con mujeres.

—Si aún no estamos divorciados.

—Entonces, ¿qué esperas? —dijo su madre.

Había que iniciar los trámites legales. Ted había solicitado el consejo de Dan, su amigo abogado, y éste lo remitió a un abogado prestigioso que se especializaba en casos de divorcio. Un divorcio rápido. Un pronto matrimonio con otra mujer, con cualquier mujer, contribuiría mucho a rescatar su reputación en Miami, y la de Dora y Harold.

—La gente entiende el divorcio —le dijo su madre—. Yo suelo decir que ya estás divorciado.

—No creo que tu divorcio sea aceptado en el estado de Nueva York.

—No te hagas el chistoso. Según están las cosas, tengo que tratar de disculparte. Me veo obligada a decir que el niño vive temporalmente contigo, mientras esa perdida tiene un asunto.

Habló con su hermano, de quien estaba separado por algo más que kilómetros de distancia. Ralph le ofreció dinero, y Ted lo rehusó. Después de ofrecer lo único que se le ocurrió en el momento, pasó el teléfono a su esposa, Sandy, y ella dijo que de todos modos nunca había simpatizado con Joanna. Habría aceptado por un tiempo a Billy si sus propios hijos no fueran mucho mayores. Después de intercambiar estas cortesías, todos se despidieron y no volvieron a hablarse durante varios meses.

Thelma había visto en Joanna a un ángel vengador que había ajustado cuentas con todos los matrimonios mal avenidos. Pasó a beber una taza de café y explicó a Ted que la actitud de Joanna había determinado que salieran a la superficie «ciertas cosas».

—Charlie me dijo que tenía un asunto. Me pidió que lo perdonase, y lo hice. Además, me divorcio.

Charlie apareció la noche siguiente.

—Thelma dice que puedo casarme con mi enfermera. ¿Quién quiere casarse con mi enfermera? —Cuando salió tambaleándose a causa de varias copas, dijo—: Si no fuera por vosotros, aún sería un hombre feliz en mi matrimonio.

Los padres de Joanna afrontaron la situación enviando una corriente constante de juguetes, procurando compensar su propia pérdida de Joanna con regalos al nieto, y con llamadas de larga distancia a un niño a quien no impresionaban las llamadas telefónicas de larga distancia.

—¡Billy, soy la abuela!

—¡Y el abuelo! ¡Billy, yo también estoy aquí!

—Oh, hola.

—¿Cómo estás, Billy?

—¿Qué estás haciendo? —preguntó ella.

—Nada.

—¿Nada? Caramba, caramba, un muchacho grande como tú seguramente hace algo.

—Juego.

—Maravilloso. ¿Oyes eso, Sam? Está jugando. ¿A qué juegas?

—Al bacalao.

—Al bacalao. Qué bonito..., el bacalao. ¿Y cómo es el juego del bacalao?

—Pues me acuesto en la cama con el pijama puesto y me toco el pito hasta que se pone tieso como un bacalao.

—Oh.

¿Qué clase de niño era? Billy era un niño entusiasta. Y aún podía decir, como lo hacía de vez en cuando, que era un niño sin maldad.

—Papito, qué día tan bonito.

Era un hermoso niño, pensó Ted. Sin embargo, no se mostraba muy agresivo en los juegos rudos a que los niños solían jugar; y Ted se preguntaba si no era una veta de carácter, de su propio carácter. ¿Sería Billy poco agresivo, como su padre?

Les sorprendía la imaginación del niño, los cuentos acerca de conejos voladores y de Oscar el Gruñón cogiendo el metro para París, y bastones que se convertían en navíos espaciales, y jarros en motores, fantasías tan vívidas que Ted preguntó al pediatra si el asunto debía inquietarlo. El médico dijo que era un rasgo que debía apreciarse. Aliviado del sentimiento de ansiedad, él lo apreció, y la misma actitud adoptó frente a los diálogos acerca de La Naturaleza de la Existencia.

—Papi, ¿qué hacías cuando eras chico?

—Jugaba como tú.

—¿Veías la Abeja Maya?

—No había Abeja Maya. No había televisión.

Billy intentó entender eso.

—¿No tenían televisión?

—Aún no se había inventado. A nadie se le había ocurrido la idea de la televisión.

Algo tan real como la televisión no existía. El

niño trató de entender.

—¿Había zumo de manzana?

—Sí, teníamos zumo de manzana.

Ted pensó: Qué será, Billy, tener cuatro años y tratar de organizar el mundo.

Salían de Burger King, un premio especial para Billy los viernes por la noche.

—¿Había Burger King cuando tú eras niño?

—No, Billy, no había.

—¿Qué más no había?

—Bueno, no había negocios como Mac Donald's. Ni astronautas. Ni helados que uno guarda en casa, porque los frigoríficos no tenían espacio suficiente.

Ni mamis que abandonaban a sus esposos y a sus hijos pequeños, se dijo Ted.

La firma de Shaunessy y Phillips le había sido recomendada por Dan, el abogado y partidario del equipo de fútbol de los Gigantes, que incluyó en su recomendación el dato de que John Shaunessy también era simpatizante de los Gigantes. Durante los primeros quince minutos, Shaunessy, un hombre alto y de aspecto distinguido en la cincuentena, comentó el comportamiento de los Gigantes en el curso de los años, presumiblemente para establecer un contacto más personal con su futuro cliente. Después abordaron el problema de Ted.

—Me parece que mi caso es claro y sencillo.

—Ningún caso es así. Podría mencionarle veinte casos, claros y sencillos, como usted dice, que le harían rechinar los dientes.

—Ahórreme los relatos, por favor. ¿Le informó Dan de los detalles?

—Su esposa abandonó la casa. Envió algunos documentos y está dispuesta a firmar todo.

—Dígame cómo se hace. ¿Cuánto tiempo lleva? ¿Cuánto cuesta?

—Muy bien, ante todo usted debe saber que atendemos a las dos partes. Hay maridos que son clientes, y también esposas. Conocemos todos los ángulos del tema. En segundo lugar, un divorcio puede ser un asunto difícil. Después quiero señalar que si usted vive aquí, *usted* pleitea aquí. Olvide lo que ella hace. Puede seguir dos fórmulas... una es abandono del hogar. Lleva aproximadamente un año. Es mucho tiempo. O trato cruel e inhumano... se arregla en unos meses.

—Trato cruel e inhumano...

—Tiene que consultar a un médico. El le dirá que lo encuentra en tensión. Porque es así, ¿verdad?

—Bueno...

—Está en tensión. Con respecto a la última parte de su pregunta, dos mil dólares.

—Vaya.

—Ocurre que, como suele decirse, soy un veterano. Enseño en Saint John. Publico trabajos. No soy un profesional barato. La gente cobra menos o cobra más. A veces conviene buscar por ahí, y yo diría que usted debe hacerlo.

—Francamente, creo que no tendría estómago para ese tipo de consultas. Está bien, qué diablos. Adelante.

—Magnífico. En realidad, Ted, le conviene tener un buen abogado. La disolución de un matrimonio debe ser un hecho legal claro y decisivo. Aquí se trata nada menos que de su vida.

Tenía confianza en el abogado. Pero 2.000 dólares... Se le ocurrió que en definitiva Joanna le estaba pasando la cuenta.

El parvulario de Billy había organizado un grupo poco costoso de juegos de verano durante las mañanas de los días de trabajo. Y Ted fue a conversar con la maestra para inscribir a su hijo. La mujer había prestado especial atención a Billy durante el primer período de la adaptación y dijo a Ted que creía que el niño estaba desenvolviéndose muy bien.

—Los niños son más flexibles de lo que creemos —dijo.

Ted ya no insistía tanto en las grandes salidas los fines de semana y tampoco sentía como antes la necesidad de organizar todas las horas del día de

Billy. Un parque infantil a pocas manzanas de la casa tenía columpios que agradaban mucho a Billy, un estanque con un surtidor, una vista de las embarcaciones que surcaban el East River y un camión convertido en bar, donde se servían refrescos, cucuruchos y helados a la italiana. Ted se sentaba solo a leer revistas, mientras Billy pedía columpios o helado. Ted no deseaba inducirlo a que jugase sólo con su papá, pero durante el día jugaban juntos, y Ted era la persona más alta entre los columpios y los balancines, o participaba en uno de los juegos de imaginación de Billy.

—Juguemos a los monos.

—¿Qué es eso?

—Tú eres el papá mono y yo soy el niño mono y nos subimos a todas las cosas que veas aquí.

—A todas no.

—Al tobogán.

—Muy bien. Treparé al tobogán.

—Tienes que chillar como un mono.

—Tu papi no chilla como un mono.

—Y tienes que arrastrarte por el suelo.

—¿Por qué no puedo ser un mono erguido?

—Los monos no son así.

Habían alcanzado un punto delicado en las negociaciones.

—Está bien —dijo Ted—. Tú chillas y te arrastras, y yo me rasco un poco.

—Está bien. El papá mono se rasca.

Y treparon por el tobogán en algún lugar de Africa, y eran monos, o, en el caso de Ted, un mono modificado.

Cierto domingo de julio hizo mucho calor y fueron al parque con una cesta que contenía el almuerzo; Billy pasó la mayor parte de la tarde bajo el surtidor; Ted lo acompañó un rato con los pantalones recogidos, después de quitarse los zapatos y los calcetines, como habían hecho otros padres. Ted estaba sentado en el césped, leyendo, mientras Billy corría salpicando agua, saltando, chillando, encantado de pasar el día en bañador.

—Haz de aguador —dijo Ted, y Bill llenó de agua un vaso de plástico y vertió el líquido sobre la cabeza inclinada de Ted, lo cual hizo reír mucho al propio Billy. Estuvieron hasta tarde en el parque, y a medida que refrescaba y se alargaban las sombras, el parque adquiría una belleza particular. Ted experimentaba un auténtico sentimiento de bienestar. Billy seguía riendo, saltando y bailoteando. Ahora está todo bien, los niños son más flexibles de lo que creemos, quizá los adultos también, pensaba Ted. Miró alrededor y de pronto comprendió que Billy no estaba. No estaba bajo el surtidor ni en el foso de arena, ni trepando, ni en el balancín. Ted comenzó a recorrer rápidamente el parque. Tampoco estaba allí.

—¡Billy! ¡Billy! —gritó—. ¡Billy!

Ted corrió hacia la entrada del parque, donde estaba la fuente de agua, y tampoco allí lo encontró.

—¡Billy! ¡Billy!

Y entonces lo vio por el rabillo del ojo. El niño había salido del parque y corría por un sendero del exterior. Ted corrió tras él, llamándolo, pero el niño no se volvió. Seguía corriendo con su andar desmañado. Ted apuró la carrera y cuando estaba pocos metros detrás oyó que Billy llamaba:

—¡Mami! ¡Mami!

Por el sendero caminaba una mujer de cabellos oscuros. Billy la alcanzó y le aferró la falda. Ella se volvió y lo miró; no era más que una mujer que caminaba por el sendero.

—Pensé que usted era mi mami —dijo Billy.

OCHO

Larry afirmó que era un excelente negocio una casa colectiva en un bloque de Fire Island, una venta urgente, el vendedor había sufrido un colapso nervioso.

—¿Por ir a cazar? —preguntó Ted.

—No lo sé. Ocurrió el fin de semana del Cuatro de Julio. No vio a nadie, y cuando concluyó el fin de semana no podía abandonar la silla.

Ted tenía ciertos escrúpulos en aprovechar la condición mental de otra persona, así como en compartir una casa cuyos ocupantes tenían colapsos nerviosos. Pero apremiado por Larry decidió llamar al administrador, una decoradora de interiores con la cual salía Larry y que tenía un hijo de diez años.

—Somos todos padres sin pareja —explicó a Ted por teléfono. El se sintió incómodo cuando comprobó con qué naturalidad hablaba la mujer. Estaba en una categoría—. No queremos solteros en la casa —continuó diciendo—. Usted vendría muy bien. Y es hombre. Necesitamos otro hombre.

El viernes a las cinco y media Etta llevó a Billy al mostrador de información del Ferrocarril Long Island. La estación estaba llena de gente que trataba de salir de la ciudad, abordar el tren siguiente para irse a las afueras, o a la costa, y Ted se daba prisa lo mismo que los demás. Cuando vio a Etta y a Billy esperándolo frente al mostrador se sorprendió, interrumpió la marcha y se detuvo. Billy, persona que ocupaba un lugar tan importante en su vida, figura que representaba un papel dominante en su existencia, visto en una estación ferroviaria atestada, rodeada del amplio mundo, era increíblemente pequeño. Aferraba la mano de Etta; era un niño muy pequeño.

—¡Hola! —llamó Ted, y el niño corrió y lo abrazó como si no lo hubiese visto en varias semanas, sorprendido ante el milagro de que su propio papi se hubiese materializado saliendo de toda aquella confusión.

Ted siempre había considerado que Ocean Beach, en Fire Island, era un lugar sobrepoblado y sórdido. De pronto, visto por los ojos de Billy, con sus puestos de helado, una tienda llena de juguetes y una pizzería —«¡no me dijiste que vendían pizzas!»—, Ocean Beach se convirtió en Cannes.

Encontró la casa, uno de muchos *bungalows* semejantes con porches cerrados por alambre tejido, en este caso con un anuncio escrito con pintura rosada sobre la puerta, que decía CHEZ GLORIA. Atendió la puerta la propia Gloria, una mujer robusta de cerca de cuarenta años en pantalones cortos. De acuerdo con la moda de las camisetas impresas con frases ingeniosas, la suya proclama a la altura de los pechos: «Tetas grandes.»

—Usted debe de ser Ted —dijo con voz estridente, y Billy trató de ocultarse en el túnel formado por las piernas de Ted. Lo presentó a los «compañeros de la casa», es decir, a Ellen, una periodista por cuenta propia con su hija de once años, un psiquiatra llamado Bob, con su hijo de dieciséis años que lo acompañaba ese verano, y Martha, una mujer de cuarenta y seis años que poseía una tienda de alimentos dietéticos, con su hija de diecinueve años. La casa tenía un comedor-salón común y cinco dormitorios. La organización establecía que cada progenitor sin pareja debía dormir en el mismo cuarto con su hijo o su hija.

De acuerdo con las normas de la casa, fijadas sobre el vertedero, cada padre asumía la responsabilidad total de su hijo a la hora de las comidas. Los miembros del grupo se turnaban en la preparación de las comidas, pero únicamente el progenitor responsable atendía las dificultades o los problemas de su hijo al almuerzo o la cena. Los padres iban y venían para poner el maíz caliente bajo agua fría o calentar el maíz frío. Ellen, la periodista, una mujer que medía un metro ochenta y estaba al final de la treintena, miraba a los demás para comprobar lo bien que se las arreglaba su hija. El psiquiatra, un hombre austero, cargado de hombros, al final de la cuarentena, tenía poco que decir a los demás. Su hijo, un niño austero, de hombros cargados y, según parecía, también al final de la cuarentena, asimismo tenía poco que decir. La señora que era propietaria de la tienda de alimentos al parecer había descubierto las cualidades nutritivas de sus propias mercancías; medía un metro sesenta y pesaba unos ochenta kilogramos, y su hija rubia medía unas pulgadas más y tenía unos cuantos kilogramos más. De postre, comieron una torta de chocolate entera.

Después de la cena apareció Larry. Los dos amigos no se habían visto mucho los últimos años, y cuando contempló de nuevo a Larry en el contexto de Fire Island, donde antaño habían corrido juntos tantas aventuras, y al ver los cabellos ensortijados de su amigo que comenzaban a mostrar entradas, y el vientre ahora más prominente, Ted vio en Larry el paso del tiempo que también afectaba al propio Ted.

—Hermosa fiesta esta noche. Chicas de miedo.

Esto no había variado.

—Tengo que quedarme con Billy.

—Trae a Billy. Le buscaremos pareja.

—Bárbaro, Larry.

—Claro. Esto es Fire Island, viejo amigo.

Y se marchó con Gloria, que se había cambiado la camiseta «Tetas grandes», que había ensuciado durante la cena, por una camiseta «Tetas grandes» más limpia.

Ted y Billy lo pasaron bien en la playa, Ted incluso jugó algunos encuentros de balón-volea mientras Billy construía castillos de arena a pocos metros. Larry telefoneó desde Ocean Park el domingo por la tarde. Ofreció a Ted recogerlo a las seis y llevarlo a casa, el bueno y servicial de Larry.

—Un detalle. No digas nada de mí a Gloria. Hemos roto.

—Larry, ¿cómo es posible que hayáis roto? Ni siquiera salíais juntos.

—Salimos una semana. Pero *¿y tú?* ¿Qué hiciste? ¿Conociste a alguien?

—No he buscado.

—¡Pues ya puedes hacerlo! Sal de una vez y búscate una tía.

Habían transcurrido cuatro meses desde la partida de Joanna. No había tocado a ninguna hembra. No había tocado a otra mujer durante los seis años de su relación con Joanna.

—Ha pasado mucho tiempo —dijo Ted—. Ni siquiera conozco la técnica que se usa ahora.

Gloria tocó una campana para reunir a todas las unidades. Se disculpó con Ted por el aspecto militar del método, pero de todos modos tocó la campana.

—Contribuye a la unidad de la casa —dijo.

De modo que los domingos por la noche se reunían al son de la campana para agrupar a todas las unidades y hacer cuentas —los gastos totales de la casa, divididos por unidades, menos los desembolsos que cada unidad hubiese hecho—. Era un aspecto de la vida en grupo que él había olvidado, la división de los gastos. El problema ahora era éste: ¿deseaba continuar? Su participación alcanzada a 200 dólares, lo cual según Larry era muy barato.

—No estoy seguro —dijo, y los demás lo miraron como si él estuviese rechazándolos personalmente—. Me gustaría discutirlo con el resto de mi unidad.

Billy estaba fuera jugando al escondite con un amigo que había conocido en la casa contigua. Ted le dijo que tenían que regresar, y se disponía a agregar que era necesario decidir si quería pasar más tiempo allí, cuando Billy se echó a llorar. No quería dejar a su amigo; ni la casa ni la isla. Ted pagó los 200 dólares. Era un inquilino oficial, una unidad y un padre sin pareja en CHEZ GLORIA.

Los fines de semana, Ocean Beach palpitaba con la gente que recorría los bares y las casas donde se celebraban reuniones. Los habitantes de la casa de Ted tendían a permanecer en el hogar. Esta costumbre le facilitaba las cosas. Podía sentarse en la sala de estar con los demás, y conversar o leer, sin que nadie lo obligase a afrontar a los solteros que circulaban afuera.

—Me siento tan tensa durante la semana —dijo Martha—. Espero con ansiedad la oportunidad de tranquilizarme.

Pero Ted percibía cierta tensión en la casa, que se había acentuado desde el primer fin de semana que él había estado allí, cuando Martha, Ellen y Gloria realizaban exploraciones en la noche y volvían temprano sin haber encontrado a nadie. George, el psiquiatra, rara vez abandonaba su sillón. Billy había realizado una excelente adaptación social a la casa. En la casa contigua tenía un amigo de cinco años llamado Joey, y jugaban en los porches de las dos casas, o montaban en pequeñas motocicletas rojas, con otros niños que poblaban las veredas.

La noche del tercer sábado en la casa, Ted estaba solo en la sala de estar con George. Ambos tenían libros. Se sintió obligado a decir algo a George. Rara vez hablaban.

—¿Interesante? —preguntó Ted, en una apertura poco interesante.

—Sí.

George continuó leyendo.

—¿De qué trata?

¿Realmente estoy preguntando esto? Hubiera deseado recuperar las palabras.

—De la senilidad —contestó George, y con esto concluyó la conversación.

Media hora después, Ted cerró el libro de oceanografía que estaba leyendo y dio las buenas noches.

—¿Su esposa lo dejó? —dijo de pronto George, sorprendiéndolo.

—Sí. Hace unos meses.

—Comprendo.

George pareció reflexionar. Ted esperó. ¡El hombre era psiquiatra!

—Creo —George habló con voz pausada, eligiendo con cuidado las palabras— que debería salir más.

—¿Que debería salir más? George, eso podría habérmelo dicho mi madre.

No podía seguir postergándolo. Ya corría la segunda semana de agosto. Billy jugaba en la casa de su amigo y lo habían invitado a cenar. Ted tenía por lo menos dos horas para sí, y en la manzana siguiente se celebraba una fiesta a la cual podía incorporarse. Se sirvió una copa y se encaminó hacia la fiesta con el vaso en la mano. Mientras caminaba por el sendero en dirección a la casa, el hielo tintineando en el vaso, y otros caminaban adelante y detrás con sus respectivas bebidas en la mano, rememoró todo de pronto. En el porche vería a la muchacha más bonita de la fiesta, y trataría de conocer su nombre y su número de teléfono, y volverían a verse en la ciudad, para salir juntos, y después casarse y... Joanna, Joanna, ¿dónde estás? Comenzaron a llenársele de lágrimas los ojos, pero hizo por evitarlo. No le haría esa concesión.

Ahí estaba Larry, el brazo alrededor de uno de sus descubrimientos de abundante pecho. Hizo una señal a Ted y éste avanzó a través de la multitud identificando a la gente a derecha y a izquierda a medida que avanzaba, un antiguo acto reflejo.

—Adelante, compañero. Ted, ésta es Bárbara. Y sus amigas Rhoda y Cynthia.

La chica de Larry era bonita, muy maquillada, quizá en exceso. Todas tenían poco más de treinta años, Rhoda era baja y regordeta, y tenía una piel poco atractiva. En otro tiempo Ted la habría desechado, la habría desechado sin más, y todo por su apariencia. Ahora se sentía compasivo, y todo por su apariencia. Había ido allí por necesidad, lo mismo que él. Cynthia era un poco menos fea, una morenita de cuerpo pequeño, aspecto frágil y figura esbelta.

—Ted está de vuelta de todo.

—Algo así.

—Chavalas, voy a deciros algo que no tenéis que propagar. Fue uno de los hombres más temibles de la isla.

Se rieron con risas estridentes. Como Ted no los acompañó, Cynthia dejó de reír inmediatamente.

—¿A qué te dedicas, Ted? —preguntó Cynthia.

—Vendo espacios para anuncios.

Vio que no entendía.

—Cuando se ven anuncios en una revista es porque alguien ha vendido el espacio de esos anuncios a las empresas. Yo represento a las revistas, y visito a las agencias de publicidad, y procuro que compren espacios para sus clientes.

—Parece fascinante.

—Y tú, ¿qué haces?

—Soy secretaria en un bufete.

—No está mal.

Bárbara había invitado a cenar a Larry y Cynthia hizo lo propio con Ted. Regresó a la casa y preguntó a Martha si tenía inconveniente en acostar a Billy. Martha aceptó de buena gana, él habló con Billy y después volvió a la fiesta. Las mujeres habían llevado a otro compañero de vivienda, y éste había invitado a un hombre que parecía estar en la treintena a reunirse con ellos a cenar. La madre de Bárbara había salido todo el fin de semana y procuraba ser más joven que su hija. Bárbara había invitado a dos individuos gordos vestidos con camisetas deportivas a quienes había conocido en el muelle, donde tenían una lancha de motor. Los navegantes llevaban su propia cerveza en un recipiente de material plástico.

—No creo que esta fiesta aparezca en la página femenina de *Times* —murmuró Ted a Larry.

—Espera a ver lo que comeremos. Huevos cocidos en carbón de leña.

Apareció Bárbara y sorprendió con chuletas para todos, y hubo estrepitosos vivas. Los hombres de la lancha se ocuparon de cocinar. Ted y Larry prepararon una ensalada. Había cerveza y licor abundantes. Resultó que uno de los hombres de la lancha era aficionado al fútbol, y durante la comida se habló de deportes. La madre de Bárbara había preparado un pastel de nuez que provocó renovados vivas en la gente. Todos hablaban de la comida y de lo bien que estaban pasándolo, y de que debían unirse para vivir en una gran casa. Cynthia era la más discreta, como si la dominase el temor de que hablando demasiado pudiera ofender a la persona con la cual estaba y ésta pudiera desaparecer. Hizo nuevas preguntas a Ted acerca de su trabajo y él le preguntó por el suyo. Alguien puso a funcionar el fonógrafo a todo volumen, y Ted se encontró con la clase de reunión ruidosa que solía oír desde su cuarto cuando intentaba dormirse. Bailó con Cynthia y oprimió la delgadez del cuerpo femenino contra su propio cuerpo y tuvo así la primera erección natural en varios meses.

Cuando aumentó el estrépito de la fiesta, tomó de la mano a Cynthia y ambos descendieron por el sendero en dirección al océano. Permanecieron allí un momento y él la besó. Ella abrió la boca y se apoyaron uno contra el otro, y él le metió la lengua en la boca, y después comenzó a acariciarle todo el cuerpo, y deslizó las manos bajo las ropas femeninas y en el interior de su cuerpo. Salió con ella del sendero y la acostó sobre las dunas, fuera de la vista, besándola y acariciándola, mientras ella decía: «Oh, Ted», y durante un instante él no pudo responder, porque no recordaba cómo demonios se llamaba, y se echó sobre ella en las dunas pensando que a uno podían detenerlo por cualquier cosa, y mientras estaba en eso recordó que se llamaba Cynthia y alcanzó a decir: «Oh, Cynthia.»

Un patrullero que recorría la playa iluminó la zona con sus focos, y en la oscuridad fue como si les hubiesen aplicado reflectores, y los dos se incorporaron mientras se arreglaban la ropa. Volvieron caminando a lo largo del sendero oscuro y deteniéndose cada pocos metros para besarse. En la casa de Cynthia, la fiesta había alcanzado su máxima intensidad, en la de Ted las luces estaban aún encendidas, y como no sabían adónde ir o qué hacer, continuaron por el sendero besándose. Ted estaba entristecido por ella, porque tenía una desesperada necesidad de que la amaran un poco, de que la apartaran del muelle y de la fiesta, aunque fuese un hombre que no recordaba cómo se llamaba. Se apoyaron en la empalizada, en la oscuridad, y él la tocó de nuevo —sórdida Ocean Beach— y se sintió tan sórdido como la ciudad.

En la casa de Ted se extinguieron las luces y él la tomó del brazo.

—Tengo un cuarto.

—¿Y tu hijo?

—No despertará.

Consiguió introducirla en la casa, en su cuarto, en la cama contigua a la de Billy, mientras el niño roncaba, y procuró mantener la sábana sobre ellos, de modo que si Billy despertaba viese una sábana y no una persona —confiaba en que no creería que era un fantasma—, y moviéndose con cuidado de modo que la cama crujiente no crujiese demasiado, la besó unas pocas veces más para salvar las apariencias y la penetró. Llegó casi inmediatamente, casi un instante después de entrar en ella.

—Lo siento —dijo—. Pero hacía mucho que no estaba con una mujer.

—Está bien —dijo ella.

Y allí estaban, juntos en una cama estrecha, escondidos bajo una sábana, al lado de un niño que roncaba. Ted esperó, y luego comenzó un nuevo intento; la cama crujió, Billy se movió en sueños y ella tuvo suficiente romance isleño por una noche.

—Quédate —dijo ella, y se arregló las ropas, que no se había quitado del todo.

El se vistió, aunque tampoco se había desnudado del todo, y como Uno Acompaña a Una Dama a Su Casa, salió con ella en silencio. La fiesta continuaba. La besó. Ella le retribuyó con un beso superficial y entró. Cinco minutos después él se había acostado de nuevo al lado de Billy.

Se cruzaron en el sendero al día siguiente, se saludaron y bajaron los ojos; no había sido una relación que tuviese significado, apenas un episodio nocturno. Sin embargo, Cynthia, cuyo nombre él olvidaba incluso cuando estaban juntos, representaba más de lo que él anhelaba. Había estado con su primera mujer después de Joanna. La próxima vez lo haría con más elegancia, con más sentimiento, mejor, pero sería con otra persona, no con Joanna, nunca más con Joanna. Había tratado de evitarlo, y ahora había pasado la frontera. Su esposa lo había abandonado, y cuando una esposa nos abandona más tarde o más temprano hay que comenzar a relacionarse con otras mujeres. Había retornado al mundo de los solteros.

Si había llegado a creer que le bastaba exhibirse en una fiesta para terminar acostado con alguien, le tocaría aprender una lección diferente durante la fiesta del siguiente fin de semana, donde nadie se interesó en él, y durante el fin de semana que siguió, y el fin de semana del Día del Trabajo, cuando todos se esforzaban desesperadamente por establecer relaciones; y así, de pie en la vereda, al anochecer, con una copa en la mano, miraba a la gente que se dirigía a diferentes fiestas en diferentes casas y detuvo a la persona más elegante que había visto en varias semanas, una bonita chica de vestido blanco. La cumplimentó porque estaba muy bonita y ella sonrió y no pareció del todo indiferente, pero se dirigía a cierta fiesta y él no podía ir. La vio alejarse, y no volvería a encontrarla porque él tenía en la casa un niño de cuatro años, que acababa de vomitar sobre el piso de la sala de estar y estaba descansando en la habitación; y su papaíto no podía abandonarlo para perseguir a fantasmales señoras de blanco. Mientras miraba a las gentes que se dirigía a las últimas fiestas del verano, les envidió el que para ellas fuese muy sencillo hacer su voluntad, porque sólo tenían que preocuparse de sí mismas y en cambio él ni siquiera podía pasear por la calle.

—¿Cómo estás, gatito?

—Papi, estoy enfermo.

—Ya lo sé. Me parece que comiste demasiado maíz frito en casa de Joey.

—Comí demasiado maíz frito en la casa de Joey.

—Ahora, querido, trata de dormir. Mañana es el último día que pasamos aquí. Nos divertiremos. Vamos a construir el castillo de arena más grande del verano.

—No quiero volver a casa.

—Bien, el otoño está cerca. El otoño es lindísimo en Nueva York. Vamos, ahora duerme.

—Siéntate aquí, papito, hasta que me duerma.

—Muy bien, gatito.

—Comí demasiado maíz frito en casa de Joey.

El último día en CHEZ GLORIA, Ellen, la periodista, que en realidad no había conocido a una sola persona en todo el verano, no pudo levantarse de la silla. George, el psiquiatra, muy dispuesto a prodigar su análisis, dijo que Ellen era una persona muy sugestionable y estaba influida negativamente por el episodio del fin de semana del Cuatro de Julio, cuando la inquilina anterior tampoco pudo levantarse de la silla. El asunto terminó siendo parte del folklore de Fire Island, y se incorporó a la historia difusa de la isla, al recuerdo, al igual que casi todas las parejas hechas y deshechas en una sola estación y casi todas las depresiones nerviosas de una casa y una sola temporada.

Ted iba a volver a un juego bastante sórdido, un juego que podía haber terminado en Fire Island, pero en todo caso sabía que lo esperaba una temporada muy larga.

NUEVE

El divorcio duró siete minutos. El juez celebró la audiencia en su despacho. John Shaunessy, el abogado y aficionado al fútbol, envió a su equipo hacia la línea media, unas pocas declaraciones juradas, la esposa no respondía, la carta del médico que afirmaba que el marido estaba en tensión, y Ted respondió a una serie de preguntas impresas, dijo que la experiencia lo había trastornado y pareció que el juez no participaba demasiado en el asunto. Aplastaron a la oposición, que no presentó a su equipo en el campo. Se otorgó el divorcio, y se confirmó la custodia sobre la base de «Un trato cruel e inhumano que hacía insegura o impropia la cohabitación». Diez días después, los documentos firmados por el juez llegaron por correo, y Ted Kramer y Joanna quedaron legalmente divorciados.

Ted sintió que correspondía celebrarlo. Llevó a Billy a Burger King. La celebración tuvo un carácter limitado, porque lo único que Billy celebraba era una inmensa bolsa de patatas fritas. El niño tenía un concepto bastante confuso de lo que era el matrimonio y de dónde venían los niños, de modo que Ted había preferido no complicarle la vida comentando el proceso judicial. Ahora quería que lo supiera.

—Billy, hay una cosa que se llama divorcio. Dos personas que están casadas se descasan.

—Ya lo sé. Set se divorció.

—Los padres de Set se divorciaron. Como tu mami y tu papi. Billy, ahora tu mami y tu papi están divorciados.

—¿No dijo mami que me enviaría regalos?

Billy, no hablo en nombre de la señora.

—Tal vez lo haga.

—¿Puedo pedir más patatas fritas?

—No, muchacho astuto, ya comiste bastante.

Ted lo miró como si estuviese admirando un cuadro, Billy en su corona de Burger King.

El momento era grato, pero ingerir comida barata con su hijo no parecía apropiado para el acontecimiento, cuyo precio se elevaba a 2.000 dólares. Pensó que se debía más a sí mismo. Desde el restaurante llamó a una adolescente que vivía en el mismo edificio y que le había ofrecido atender al niño, y arregló con ella que iría esa noche. En su vida no había una mujer que celebrase con él ese divorcio. Durante los dos meses transcurridos desde el regreso de Fire Island no había prestado atención a su vida social, si es que así podía llamársela. Larry había mostrado su veta maníaca. Pero él no deseaba entrar en un bar y relatar la historia de su vida a una desconocida. Llamó a el Charlie el dentista.

Charlie se había mudado a un departamento y estudio con su enfermera, pero la relación había terminado después de dos semanas de exclusividad. Entonces Charlie llamó a Ted y dijo que los tipos debían unirse y cuidarse. Cuando Ted le propuso reunirse esa misma noche, Charlie pareció caer en éxtasis. Se encontraron en la Segunda Avenida y la calle Setenta y Dos, en el corazón de los bares de solteros. El plan era recorrer toda la línea bebiendo. Ted vestía una chaqueta de pana, jersey y pantalones anchos. Charlie, hombre robusto de cuarenta y cinco años, llevaba americana cruzada y pantalones cuadriculados tan estridentes que parecía una manifestación de arte vanguardista.

Comenzaron por un lugar llamado Amigos, un bar que desde afuera tenía buen aspecto. Cuando entraron, descubrieron que los clientes eran todos hombres, vestidos con prendas de cuero. En la puerta, un vaquero de entrepierna abultada y ojos de cuero dijo:

—Hola, tigres —y ambos salieron disparados del corral. Siguieron con Río Rita, que tenía un estrepitoso tocadiscos y un paisaje parecido al muelle de Fire Island tras el mostrador. Jovencitos universitarios, pensó Ted, y mientras bebía un par de copas oyó a Charlie absorverlo de la culpa de la ruptura con Thelma. En Hansel había tantos chicos y chicas que se sujetaban las faldas y los pantalones con correas que Ted se preguntó si había caído en un festival juvenil europeo. Allí, Ted se enteró de que Thelma salía con un colega de Charlie, otro dentista. Cuando llegaron a Zapata, la gente tenía más edad, pero Ted y Charlie eran todavía los más veteranos. Allí, Charlie absolvió a Ted de la responsabilidad de su ruptura con la enfermera. Ted, aturdido por el vodka, no estaba seguro de haber tenido nada que ver en el asunto. En Glitter, el público era tan refinado y había tanta gente que no se permitía a los nuevos permanecer junto al mostrador, de modo que comenzaron a volver por la calle, y aterrizaron en sendos taburetes frente al mostrador de un bar cercano.

—Hasta ahora, hemos dicho a las mujeres un total de dieciséis idioteces en los diferentes bares que hemos visitado —observó Ted, más consciente que Charlie de la inutilidad de decir algo mejor que una idiotez en un bar; en cambio, como un disco rayado, Charlie se había quedado en «hola, nenita. ¿Cómo *te* llamas?» Charlie se acercó a una bonita joven que estaba muy elegante con un uniforme de boy scout, y ensayó su frase. La boy scout se alejó para encender su fuego en otro sitio.

Ted y Charlie se apoyaron contra una pared de la Segunda Avenida y sostuvieron la conversación franca que habían venido preparando toda la noche, sólo que estaban muy bebidos para sostenerla.

—¿Te dije alguna vez cuánto he lamentado lo de Joanna? —dijo Charlie.

Ted replicó:

—Trato de no pensar en ella.

Charlie dijo:

—Pienso siempre en Thelma —y se echó a llorar. Ted lo ayudó a recorrer la calle y sugirió, con la claridad del borracho, que bebieran una última copa en Isla Esmeralda, whisky de centeno y soda, ochenta y cinco céntimos la copa especial. Charlie trató de dormirse, y Ted lo arrastró fuera del bar, consiguió que caminara hasta su casa, y después, tratando de recomponerse con el fin de que su nueva cuidadora adolescente creyese que era un perfecto caballero, Ted entró en la casa y agradeció a la jovencita la oportunidad que le había dado de pasar una agradable velada.

Había informado del divorcio a algunos de sus conocidos. Consideró que era necesario informar a Joanna. Cuando su abogado inició el juicio, Ted había conseguido una dirección de los padres de Joanna, el número de un apartado de correos en La Jolla, California. Se proponía enviarle copia de los documentos. Las relaciones diplomáticas no habían mejorado entre Ted y los padres de Joanna. Llegaron a Nueva York y a *él* no tuvieron mucho que decirle.

—Pregúntale a qué hora debemos devolver el niño —dijo el padre.

Ted quiso saber si habían tenido noticias de Joanna, y la madre replicó:

—Si Joanna desea informarle de sus actividades, tiene edad suficiente para hacerlo. —Ted advirtió que parte de la hostilidad parecía orientada hacia Joanna, y llegó a la conclusión de que tal vez ellos mismos desconocían las actividades de su hija. Thelma, experta en psicología, puesto que se había sometido a varios años de análisis, dijo que quizá Joanna estuviera rebelándose también contra los padres, y que era posible que ellos no supiesen mucho de lo que hacía su hija. Thelma presumía que en un comienzo Joanna había dejado a cargo de Ted informar a los padres, de modo que también había huido de ellos.

—De todos modos, deberías preocuparte por tu propia psique —dijo Thelma.

—De acuerdo. A la mierda con ella.

—No quiero decir eso. En realidad, me parece que deberías someterte a tratamiento. Todo esto te ha ocurrido a ti. ¿No deseas saber la causa?

—Pregúntale a Joanna.

—Ted, eres parte del asunto. ¿Por qué no consultas a mi médico?

—No lo creo oportuno. Ya es demasiado tarde.

Permaneció sentado, frente a los documentos legales, elaborando mentalmente notas dirigidas a Joanna. «Nena, ahora puedes casarte en Nevada o en Nueva York.» No, demasiado infantil. «Mientras esperaba esto, pensé que era conveniente decirte cómo nos va, y sobre todo cómo está Billy.» No, ella no había preguntado. Decidió meter los documentos en un sobre, enviarlos sin agregar una nota y dejar que el asunto se explicase solo. En otro tiempo se habían comunicado con los ojos, el tacto, las palabras y ahora se comunicaban mediante un certificado de divorcio.

Los padres de Ted llegaron a Nueva York en una visita prometida hacía mucho tiempo, dos figuras rotundas de piel bronceada.

—El niño está tan delgado —dijo la madre de Ted.

—Está bien. Es delgado.

—Sé cuándo un chico es delgado. Por algo tuve un restaurante.

Después de decidir que «esa polaca» no lo alimentaba bien —había conocido a Etta al llegar, y la había saludado con el calor reservado para los repartidores— Dora Kramer decidió organizar el festival de los abuelos y llenar el refrigerador con asados y pollos que ella preparaba y que Billy se negaba a comer.

—No comprendo sus hábitos dietéticos.

—Prueba la pizza —dijo Ted.

—Billy, ¿no te gusta el asado de la abuela? —tratando de usar el sistema de la culpa.

—No, abuela. Es difícil masticarlo.

Ted hubiera querido abrazarlo. Varias generaciones habían tolerado las comidas recocidas de Dora Kramer, y sólo William Kramer, su hijo, le había hecho frente. Billy dio las buenas noches después de no jugar con un complicado rompecabezas que le habían llevado los abuelos y que habría puesto a prueba la capacidad de un niño de diez años.

—¿No te gusta el bonito rompecabezas que la abuela eligió para ti?

—No, abuela. Las piezas son muy pequeñas.

Después pudieron hablar francamente los adultos y Dora manifestó sus inquietudes más graves.

—Esta Etta no limpia muy bien.

—Hace su trabajo. Y los dos nos arreglamos perfectamente.

Ella declinó contestar. Que provinieran de Boston o de Florida, que fueran sus propios padres o los de Joanna, todos coincidían en considerarlo incompetente. Ted no estaba dispuesto a aceptar ese juicio.

—Mamá, Billy es un chico notable.

—Tiene una mirada lejana en los ojos.

—Creo que en vista de las circunstancias podemos pensar que se siente bastante feliz.

—¿Qué te parece, Harold? —preguntó ella.

—Sí, está muy delgado —respondió él.

Cuando se disponían a partir, Dora echó una ojeada final al departamento.

—Deberías arreglar esto.

—¿Qué defectos encuentras? —preguntó Ted.

—Es *su* casa. Me sorprendes que no hayas tirado algunas de estas cosas.

Se había amueblado el apartamento con un estilo moderno y ecléctico —beiges y marrones, un diván sueco, cortinas estampadas con motivos indios en la sala de estar, en el comedor una mesa rústica—, en general, cosas de buen gusto, aunque no era precisamente el gusto de Ted, que no estaba muy definido. Casi siempre eran las ideas de Joanna. Después que ella se había ido, a él jamás se le ocurrió cambiar nada.

—Y esto —era un gran cenicero de cerámica negra, regalo de los padres de Joanna—, ¿por qué lo conservas?

—Gracias por la visita —dijo Ted.

Una vez se hubieron ido le entró dolor de cabeza. ¿Tenía su madre absoluta razón respecto del apartamento? ¿Era él un individuo tan pasivo que se había limitado a aceptar la situación, y no había introducido los cambios necesarios? ¿Habría tenido que volver a decorar el apartamento, el apartamento de Joanna? ¿Y si así preocupaba a Billy? Pensar que podía inquietarlo, ¿no significaba utilizar a Billy? Se apoderó del cenicero que no gustaba a nadie, ni siquiera a Joanna, y lo arrojó al incinerador. Puesto que no lo había hecho antes, ¿había en él una falla esencial de carácter? No estaba seguro.

Después de que Larry, ese Larry en apariencia sin complicaciones, le reveló que estaba sometiéndose a análisis, Ted comenzó a reconocer la existencia de fuerzas más oscuras en todas partes.

—Chico, me temo que tengo un complejo de Casanova. Salgo con un montón de señoras porque tengo miedo de ser maricón.

—Larry, ¿estás bromeando?

—No dije que soy maricón. No dije que tengo un complejo de Casanova. Dije que tengo miedo de tenerlo, y en eso estamos trabajando.

—Es muy complicado.

—Lo sé. Una buena porquería. Pero me encanta.

Pasaron tres semanas más, y para Ted el acontecimiento social más importante del otoño fue una función durante la tarde de un sábado en que vio a Aladino con Billy. Incluso Charlie se había convertido en promotor, y le facilitaba números telefónicos, mientras él pasaba las noches en casa y llevaba trabajo de la oficina. Otros dos números no solicitados se incorporaron a una lista. ¿Qué pensar de toda la gente que aparentemente se había beneficiado con la terapia? Decidió llamar a Thelma para pedirle el número de su médico.

El terapeuta dijo que podía recibirlo por un honorario de 40 dólares. Pensó que si gastaba 33 dólares en uno de los últimos enfriamientos de cabeza de Billy bien podía invertir en su propia salud mental; y concertó la cita. El doctor Martin Graham era un hombre de cuarenta y tantos años. Llevaba una camisa deportiva italiana, seda de colores vivos, abierta al cuello.

—¿Dónde está Sigmund Freud? —preguntó Ted.

—¿Cómo?

—Esperaba encontrar un hombre de barba y traje oscuro.

—Tranquilícese, señor Kramer.

Se sentaron uno frente al otro, separados por el escritorio. Ted trató de demostrar dominio: No estoy enfermo, doctor, mientras le hablaba de su matrimonio, la partida de Joanna, y los acontecimientos de los últimos meses. El médico lo escuchó atentamente, formuló unas pocas preguntas, qué sentía respecto de ciertas situaciones, y no tomó notas, y Ted se decía que quizá no había logrado decir nada que valiera la pena anotar.

—Muy bien, señor Kramer, una consulta en realidad no es más que una exploración. De modo que sería un error convertirla en una suerte de análisis instantáneo... a lo cual me opongo.

—Como decirme que tengo tal o cual complejo —observó nerviosamente Ted.

—Algo por el estilo. En fin, le daré algunas impresiones. Pueden errar el blanco, o acertar. No lo sé.

Ted pensó que el asunto ya debía ser científico, y no un «No sé».

—Yo diría que todo esto le ha deprimido. ¿Qué

puede decirme de su irritación? Usted dijo que no salía. Muy bien. ¿Está ahora enfadado con las mujeres? ¿Con su madre? ¿Con su padre? No conozco a su familia, pero no creo que se parezca mucho a los Walton.

Ted sonrió, pero en realidad no tenía ganas de sonreír.

—Por supuesto, se trata de una impresión, pero es posible que sus experiencias en el seno de la familia lo hayan inducido a reprimir sus sentimientos, y que esa actitud se haya repetido en el matrimonio de tal modo que ahora tiende a reprimirse.

—Usted quiere decir que yo debería someterme a tratamiento.

—Señor Kramer, tenemos diferentes clases de pacientes. Algunas personas no pueden desenvolverse bien. Otras tienen un problema específico y fundamental, y uno les suministra primeros auxilios. Y otras en general aprovechan la ayuda para comprender mejor sus propios orígenes.

—¿Es mi caso?

—No quiero convencerlo de nada. A usted le toca decidir. Creo que la terapia podría ayudarle. Señor Kramer, creo que usted tiene problemas.

Explicó a Ted que cobraba 40 dólares la hora, y que si uno de sus pacientes cumplía su propósito de suspender el tratamiento, podría atender a Ted. Dos o tres veces semanales era lo mejor, a juicio del médico; una vez era el mínimo absoluto. No lo consideraba una forma de primeros auxilios, y Ted sabía que algunas personas a menudo permanecían años bajo tratamiento. Para Ted era mucho dinero, y el médico concordaba en ello, pero no conocía a ningún profesional recomendable que cobrase menos. Podía considerarse la terapia de grupo, pero él no creía que sirviera de mucho si no se incluía el tratamiento regular. También había clínicas, si lo aceptaban, donde trabajaban terapeutas menos experimentados, pero en ese sector las tarifas también estaban aumentando. Ted tenía que decidir cuánto le importaba alcanzar una imagen más clara de sí y sentirse mejor consigo mismo, como decía el propio médico.

—Sin embargo, no me va tan mal. Quiero decir que en general tengo mis cosas bastante bien ordenadas. —Ahora volvía a su posición «doctor, en realidad no tengo problemas». Pero el médico era el médico.

—¿Está pidiendo que lo aliente, señor Kramer? Tener las cosas ordenadas no siempre es lo fundamental.

Había concluido la hora, y se estrecharon las manos.

—Doctor, antes de irme, ¿me contestará un par de preguntas?

—Si puedo...

—En su opinión —se sintió como un tonto al preguntarlo—, ¿cree que debería volver a decorar mi apartamento?

El médico no se rió de Ted. Consideró con seriedad la pregunta.

—¿Le molesta el aspecto que ahora tiene?

—No.

—Entonces, ¿por qué habría de cambiarlo?

—Comprendo.

Tenía que formular la última pregunta.

—¿Cree que debería salir más? —Esta vez Ted se echó a reír, tratando de rebajar inmediatamente el nivel de su pregunta.

—¿Desea salir más? —preguntó el médico, y también esta vez tomó en serio la consulta.

—Sí, así es.

—Pues hágalo.

Ted meditó la idea de someterse al análisis. Le agradaba el estilo del hombre y el hecho de que no usara la jerga. Quizá pudiera ayudarlo. Pero no veía cómo podía pagar 40 dólares semanales, ni siquiera 30, en caso de conseguir una rebaja. Sobre todo, en vista de lo que costaba la mujer que había empleado y las facturas médicas comunes. Llegó a la conclusión de que los desajustes internos tendrían que continuar sin resolverse. Se conformaría con ir tirando. Dejaría el apartamento tal como estaba. Y pensaba salir con más frecuencia. En efecto, pensaba salir más. Orden del médico.

DIEZ

Ted Kramer comprobó que el paisaje social había cambiado desde la última vez que lo frecuentara. Algunas mujeres consideraban «anticuado» el matrimonio, como le dijo Tania, una bailarina de veintitantos años. Además, según le informó en la cama, ella también «se dedicaba a las mujeres».

—Pero eso no quiere decir que te rechace. Eres un buen tipo. También contigo me va bien.

Ahora había muchas divorciadas; los problemas cotidianos habían tenido tiempo suficiente para destruir el primer matrimonio. Algunas mujeres, con una falta de sentido de la competencia que él no había visto antes, le suministraban nombres de amigas con el fin de que las telefonease, cuando era evidente que el asunto no prometía ser El Gran Amor. Si la mujer tenía también un hijo en casa, una sencilla velada podía cobrar el apremio de una carrera contra reloj. El cronómetro funcionaba para ambas partes. El pagaba a una cuidadora y ella pagaba a una cuidadora. A dos dólares la hora cada uno, se tenía un total de cuatro dólares la hora y sólo por sentarse. Algo importante tenía que ocurrir y sin demora. Era necesario que sin perder tiempo simpatizaran el uno con el otro, y sin perder tiempo resolvieran acostarse juntos. Una cama no era sólo una cama. Era tiempo cronometrado, más dinero que pagar a las cuidadoras, quizá un taxi, quizá taxis para las cuidadoras. Si vivían en lugares más o menos equidistantes de la ciudad e iban a la casa del hombre, éste debía despedir a la cuidadora, y por lo tanto no podía acompañar a su casa a la mujer y ella tenía que llamar un taxi. Si él proponía pagar el taxi de la mujer, se planteaba el problema de que ella estaba usando el dinero del hombre. Ella tenía que calcular si deseaba pagar más por su cuidadora además de pagar su propio taxi. Al llegar aquí bien podía ocurrir que los jugadores tropezaran con cierta dificultad para seguir el juego, por mero agotamiento, puesto que ambos eran padres y probablemente por la mañana habían de levantarse más temprano que la mayoría de la gente.

Era posible que la logística comenzara a imponerse a la experiencia. Es lo que ocurría a Ted cierta noche en que estaba diciéndose: Son las 10.30, la cuidadora me está costando ya 6 dólares. ¿Seguimos así o hacemos el amor? Si hacemos el amor, tendré que marcharme dentro de 5 minutos, porque de lo contrario tendré que pagar otra hora a la cuidadora... y esa semana andaba escaso de fondos. De modo que desvió la atención de la mujer para mirar el reloj, aunque nada de todo aquello tuviera que ver con el amor. Ciertas noches no prestaba atención del cronómetro: la persona, la calidez entre ambos se convertía en el hecho principal, pero esto no ocurría a menudo.

Billy tenía poco que ver con la vida social de su padre.

—Papaíto, ¿también sales esta noche?

—Tengo amigos, lo mismo que tú. Tú ves a tus amigos de día, y yo veo a los míos por la noche.

—Te extrañaré.

—Y yo a *ti*. Pero nos veremos por la mañana.

—Por favor, no salgas.

—Tengo que salir.

En la escuela, Billy había comenzado a quitar juguetes a otros chicos, como si desease coger cuanto le rodeaba. Ted habló con el pediatra y con las maestras del parvulario y le dijeron que era una reacción ante la ausencia de Joanna que podía desaparecer o no. En general, los momentos que Ted pasaba con Billy eran tranquilos, excepto cuando la fatiga de Ted se combinaba con la necesidad de Billy de aferrarse al padre y Ted, sintiéndose aturdido, tenía que arrancarlo físicamente de su brazo o su pierna, detestándose por adoptar esa actitud, pero incapaz de soportar que el niño lo molestase así.

Ted conoció a una abogado en una fiesta. Phyllis procedía de Cleveland, tenía poco menos de treinta años y era una mujer apasionada. Usaba abultadas prendas de teweed, un poco pasadas de moda. Era sumamente puntillosa, y las conversaciones entre ellos eran elevadas y serias. Estaban cenando en un restaurante y él no miraba el reloj. Decidieron volver al apartamento de Ted, eufemísticamente para «tomar una taza de café».

Esa noche, mientras se preparaba para salir, ella pasó al vestíbulo, camino del cuarto de baño. Muy silencioso, Billy también se había levantado y *salía* del cuarto de baño. Ambos se detuvieron y se miraron en la oscuridad, como dos ciervos asustados, ella desnuda, Billy con su pijama de jirafas, sosteniendo en brazos a su gente.

—¿Quién eres? —preguntó él.

—Phyllis. Soy amiga de tu padre —dijo ella, deseosa de contestar con precisión.

El la miró atentamente y ella trató de cubrirse, porque suponía que no era propio hacer otra cosa frente a un niño. Estaban como clavados en el sitio. El seguía mirándola en la oscuridad. Era evidente que su cerebro estaba considerando algo muy importante.

—¿Te gusta el pollo frito? —preguntó.

—Sí —replicó ella.

Satisfecho con el diálogo, Billy entró en su cuarto y se echó a dormir.

—Acabo de cruzarme con tu hijo.

—¿Cómo?

—Quiso saber si me gustaba el pollo frito.

Ted se echó a reír.

—¿Te gusta?

—Sí, me gusta el pollo frito. Una situación difícil.

—¿De veras?

—No es una escena convencional —dijo ella, de manera más bien literal.

Phyllis estuvo dos meses en la vida de Ted. Le

impacientaba la conversación trivial, y ambos comentaban los problemas sociales, el estado moral de la nación. Como Ted leía muchas revistas, estaba al tanto de las corrientes del pensamiento. Habían llegado a concertar una relación intelectual combinada con sexo. El representante de Cleveland en el Congreso ofreció a Phyllis un empleo en Washington. Ella creía que el cargo era deseable, y también que la relación con Ted era demasiado reciente, y no podía amenazar «una importante decisión profesional», según dijo; y Ted, que tenía sentimientos ambivalentes frente a ella, concordó con esa opinión.

—Además, para ser sincera —dijo Phyllis— creo que todavía no puedo iniciar una empresa tan ambiciosa como ésta.

Se despidieron con un cálido beso, y prometieron escribirse o hablarse, pero ninguno de los dos lo hizo.

Ted había comprobado que podía alejarse del tiovivo de la relación ocasional que duraba una o dos noches. Alguien había permanecido en su vida un par de meses. Pero Phyllis le había señalado que para una mujer podía ser difícil iniciar «una empresa tan ambiciosa» con un divorciado y un niño pequeño.

Ted y Thelma se convirtieron en buenos amigos. El propio Ted no tenía mucha confianza en sus interludios románticos, y pensó que si trataba de hacer el amor a Thelma podía obtener una noche y perder una amiga. Los dos desecharon la idea de comprometerse en niveles diferentes de la amistad, y así cada uno podía apelar al otro, y apoyarlo, y ambos colaboraban y se sentían libres algunas horas. Si Ted se inquietaba, como había comenzado a ocurrir, porque concentraba demasiado la atención en el niño, Thelma le recordaba que eso era inevitable, eran padres que vivían solos con sus niños, y Billy era hijo único. Formando un grupo familiar conjunto, un día fueron al campo de juegos, y hubo un momento especialmente difícil. Los niños dedicaron el día a pelear.

—No me gusta Kim. Es dominante.

—No me gusta Billy. Es grosero.

Discutieron por los juguetes, el zumo de manzana, la motocicleta, y Ted y Thelma tuvieron que dedicar la tarde a imponer la paz. Ted llevó a Billy, que lloriqueaba, al otro extremo del parque, para calmarlo. Mientras iba, vio a un hombre y un niño que caminaban en dirección a ellos.

—Si uno los hace caminar —explicó el hombre— y los lleva a la heladería más lejana y comen los helados allí, y después los trae de vuelta, por lo menos pasan veinte minutos.

Ted no alcanzó a comprender qué quería decirle el hombre.

—Por lo menos veinte minutos, se lo aseguro.

El hombre era un padre que representaba su papel los domingos, y tenía que matar el tiempo; o bien era que la esposa había ido a hacer compras y regresaría pronto.

—Necesito más de veinte minutos —dijo Ted.

Hacia el fin de la tarde Billy y Kim unieron sus fuerzas para tirar arena a otro niño, cuya madre comenzó a gritar a Thelma, y la llamó «animal». Billy estaba tan excitado que necesitó un baño caliente y muchos cuentos para dormirse. Ted se preguntaba si el niño había estado representando una escena, o si sencillamente era un chico ruidoso. Kim podía permanecer sentado períodos mucho más prolongados, dibujando o coloreando, y en cambio la atención de Billy se dispersaba más. ¿Estaba la causa en que los varones y las niñas eran diferentes, o en que los dos niños eran diferentes? ¿Quizá el varón era demasiado activo? ¿Se sentía bien? ¿Y *yo* lo vigilo lo suficiente? Dios mío, lo quiero mucho, Dios mío, qué día de mierda.

Pedazos de camiones de plástico, figuras de madera con el torso astillado, páginas sueltas de cuadernos para pintar desgarrados; el cuarto de Billy estaba atestado de cosas inútiles y Ted, el Hombre de la Guadaña, se disponía a hacer una limpieza, y Billy lo seguía, luchando por conservar cada pedacito de lápiz o tiza.

—Cuando tengas diez años, parecerá que aquí vivieron los Hermanos Collier.

—¿Quiénes?

—Dos viejos que tenían un cuarto como el tuyo.

Había pensado hacer la limpieza cuando Billy no estuviera, pero meses más tarde el niño podía descubrir conmovido que le faltaba un cochecito roto.

—¡Fuera con esto! —Un camión de cuerda que ya no tenía cuerda.

—No, lo quiero mucho.

Ted paseó la vista por la habitación. Seguía siendo la cueva de los Hermanos Collier. Decidió usar otro método. Fue con Billy a la ferretería y compró varias cajas de plástico translúcido. En definitiva, le costó 14 dólares organizar una parte de la habitación del niño.

—Ahora, trata de tener todos los lápices en la caja de los lápices y todos los coches en la caja de los coches.

—Papá, si uso los lápices, la caja se vacía. ¿Cómo sabré que es la caja de los lápices?

El asunto cobraba perfiles filosóficos.

—Pondré letreros en las cajas.

—No sé leer.

Ted no pudo menos de reírse.

—¿De qué te ríes?

—Disculpa... Tienes razón, no es divertido. Ya aprenderás a leer. Pero mientras tanto; pegaré un dibujo de lo que guarda la caja, y entonces tú sabrás lo que hay dentro. ¿Me comprendes?

—Oh, claro. Buena idea.

—Eres un gatito inteligente.

Arrodillado sobre el piso, y mezclando tres clases diferentes de lápices en la caja, como si una manzana o un lápiz hubiesen aterrizado sobre su cabeza. ¡Orden general! ¡Combinemos!

A la mañana siguiente esperaba en la antesala del despacho de Jim O'Connor con su idea.

La compañía publicaba una revista en cada uno de los diferentes sectores de entretenimiento: fotografía, esquí, embarcaciones, tenis y viajes. De pronto se le había ocurrido a Ted que podían combinarse todas las revistas en uno solo hato. De este modo, los anunciadores podían realizar una compra directa con una tarifa especial.

—Es lógico. Podemos seguir vendiendo cada revista por separado, como hasta ahora. Pero además tendremos este número misceláneo.

—Con un nombre.

—Podemos llamarlo como se nos antoje. Por ejemplo, el Sobre del Ocio.

—Ted, me gustaría decirle que es brillante, pero no es cierto.

—Yo creí que lo era.

—En cambio es..., es perfecto. ¡Perfecto! ¿En qué estábamos pensando? ¿Por qué no se le ocurrió a nadie? Perfecto, pero no brillante.

—Aceptaré que es perfecto.

Nunca había visto a Jim O'Connor responder con tanto entusiasmo a una idea. La llevó al departamento de investigación, que esa misma mañana tuvo que comenzar a reunir estadísticas, y al departamento de promoción, que recibió la orden de preparar inmediatamente una campaña para el Sobre del Ocio. Una semana después se había organizado una presentación de ventas y Ted debía utilizarla en visitas exploratorias de ventas del nuevo lanzamiento publicitario de la empresa. Dos semanas más tarde se había distribuido a la lista de ventas una tarjeta con las tarifas y un folleto de promoción; al cabo de tres semanas en la prensa publicitaria comenzaron a aparecer anuncios referentes al Sobre del Ocio. Una compañía que había tenido dificultades usaba a la sazón el nuevo concepto de ventas como signo de vitalidad. En las agencias de publicidad la respuesta fue positiva. Retiraron a Ted de la revista de viajes en la cual trabajaba, con el fin de que se ocupara de vender el nuevo artículo. Ya estaba recibiendo promesas de modificar los programas de publicidad, y en varios casos pedidos de anuncios. El director y propietario de la compañía, un apuesto hombrecillo llamado Mo Fisher, a quien se percibía como una presencia que entraba y salía de la oficina con palos de golf y trajes de 400 dólares, detuvo a Ted en el vestíbulo. Había hablado por última vez con Ted varios años antes, cuando ingresó en la firma. Había dicho:

—Nos alegramos de tenerlo con nosotros —y después jamás había vuelto a dirigirle la palabra.

—Buen trabajo —dijo, y siguió caminando en dirección al club de golf.

A fines de otoño, Nueva York se volvía muy agradable: tiempo claro y fresco, gente que paseaba, los árboles de los parques que hacían todo lo posible para revestirse de aspecto otoñal. Los sábados y domingos, Ted daba largos paseos en bicicleta con Billy en el asiento trasero, y atravesaban Central Park, y se detenían en el zoológico y los parques infantiles. Billy tenía cuatro años y medio y ya no mostraba ese aire que le daban las ropas de niño pequeño, y ahora usaba verdaderos pantaloncitos de niño crecido, jersey con números de fútbol y una chaqueta y un gorro de esquiador. Con sus grandes ojos oscuros y su naricita, y ahora con sus prendas de niño mayor, a Ted le parecía el chico más bello que había visto jamás. Ted cosechaba éxitos en su trabajo durante la semana, y los fines de semana salía con Billy a gozar de los días otoñales, y la ciudad se convertía en escenario de esta relación de amor entre un padre y su hijo.

La nueva campaña de publicidad tenía éxito. En el mismo instante en que se ofrecían recompensas mínimas a otros vendedores para Navidad, se prometió a Ted una bonificación de 1.550 dólares. En una de sus visitas a una agencia nueva de la lista, conoció a una secretaria, una muchachita en pantalones y camiseta. Tenía veinte años, y él no había salido con nadie tan joven prácticamente desde que tenía la misma edad. Tenía un estudio en un edificio de

Greenwich Village, y a Ted le sorprendió un poco el descubrimiento de que todavía había quienes vivían así. Angélica Coleman. Pasó por su vida calzada con sandalias y despreocupadamente. Salir con un hombre mayor que tenía un hijo era una «experiencia». La experiencia «ampliaba horizontes». Ella se proponía «afirmar su personalidad» en Nueva York y «hacer las cosas en serio», ¿y por qué él no quería fumar hierba?

—No puedo. Quiero decir que solía hacerlo de vez en cuando. Pero ahora no puedo.

—¿Por qué no?

—Bien, ¿qué ocurriría si me hiciera daño? Tengo que mantenerme intacto. En casa me espera un niño.

—Profundo.

Un domingo lluvioso pasó sin previo aviso por el piso de Ted, adonde llegó montada en su bicicleta de diez velocidades, y se sentó en el suelo con Billy, y jugó con el niño una hora. Ted nunca había conocido a nadie que se relacionase tan naturalmente con Billy. Con los cabellos húmedos, y ataviada con una de las camisas de Ted parecía incluso más joven que de costumbre. Estaba metido en una máquina del tiempo. Se citaba con una instructora del campamento de niñas de Tamarac, que había acudido a la cabaña de Ted en un día lluvioso.

Después de unas semanas, Ted llegó a la conclusión de que desde el punto de vista de la «experiencia» no tenían mucho en común. Había mucha distancia entre los versos de Oscar Hammerstein y David Bowie.

Le telefoneó para decírselo.

—Angie, yo soy demasiado viejo para ti.

—No *eres* tan viejo.

—Pronto tendré cuarenta años.

—Cuarenta. ¡Caramba!

Ted recibió su bonificación en la oficina, y con el fin de celebrarlo reservó una mesa en Jorgés, un restaurante nuevo y caro. Entró con Billy, el niño de los lápices combinados.

—¿*Ustedes* son los dos Kramer? —preguntó desdeñosamente el maître.

—En efecto.

—No tenemos silla alta.

—No me siento en silla alta —protestó Billy en representación de sí mismo.

El maître los condujo a una mesa no muy cómoda, cerca de la cocina, y los pasó a un camarero igualmente desdeñoso. Ted pidió un martini con vodka y una cerveza sin alcohol para Billy. Pasó un camarero hacia una mesa con una langosta gigante hervida.

—¿Qué es eso? —preguntó Billy, aprensivo.

—Langosta.

—No quiero eso.

—No tienes por qué comerla.

—¿Langosta de agua?

—Sí.

—¿La gente come eso?

El origen de los alimentos era un tema difícil. Que las chuletas de cordero viniesen de los corderitos, y las hamburguesas de animales que se parecían a Bessie la Vaca, bueno, si un niño empezaba con tales cosas, ¿quién podía predecir cuándo volvería a comer? Ted enumeró los platos apropiados del menú —filetes, chuletas de cordero— y ya puestos a ello, Billy quiso saber de dónde venían, e inmediatamente perdió el apetito.

—Quiero lomo, jugoso. Y un bocadillo de queso fundido.

—Señor, no tenemos queso fundido —dijo el camarero, con la típica voz de los camareros de Nueva York, que significa: «Soy un profesional del teatro y no estoy obligado a hacer esto para ganarme la vida.»

—Dígaselo al chef. No me importa lo que cueste. Prepárelo.

Apareció el maître.

—Señor, esto no es un autoservicio.

—El niño es vegetariano.

—Entonces, que coma verdura.

—No come verdura.

—Entonces, ¿cómo puede ser vegetariano?

—No tiene por qué serlo. Tiene cuatro años y medio.

Para tranquilizar al lunático y proteger el orden de su restaurante, el maître ordenó satisfacer el pedido. En la mesa, padre e hijo conversaron de las cosas del parvulario, Billy miró complacido cómo almorzaban los adultos, y ambos gozaron de la celebración, Billy ataviado con camisa y corbata especiales para la ocasión, sentado sobre sus propias rodillas, la única persona de su estatura en el local.

Mientras salía, Ted, complacido con la comida, se volvió al maître, que casi se había desmayado cuando vio que el helado de chocolate que era el postre de Billy pasaba del mentón del niño al mantel blanco.

—No debe mostrarse grosero con la realeza —dijo Ted, el brazo sobre los hombros de Billy, saliendo orgulloso con su hijo.

—¿De veras? —dijo el maître, vacilante durante un momento.

—Es el infante de España.

ONCE

—Feliz Navidad, Ted. Soy Joanna.

—¿Joanna?

—Vuelvo a Nueva York. Estoy terminando la visita a mis padres. Quiero ver a Billy.

Hablaba con rapidez, en un tono neutro.

—¿Cómo estás? —preguntó él, completamente sorprendido.

—Muy bien —sin hacer caso de la pregunta—. Quiero verlo. El sábado estaré en Nueva York. Prefiero no ir al apartamento, si te es igual.

El tono de voz y las palabras elegidas indicaban claramente que no era una llamada telefónica de reconciliación.

—¿Quieres ver a Billy?

—Estaré en el Americana. ¿Puedes llevarle el sábado a las diez de la mañana? Pasaré el día con él y lo llevaré a dar una vuelta. Te lo devolveré a la hora de dormir.

—No sé.

—¿Por qué? ¿Piensas salir?

—No, pero no sé.

—¿Qué es lo que no sabes?

—Podría ser perjudicial.

—Vamos, Ted. No soy la Bruja Malvada del Oeste. Soy la madre del niño. Quiero verlo.

—De veras, tengo que pensarlo.

—Ted, no seas idiota.

—Oh, eso me convence.

—No quise decir eso. Por favor, Ted. Déjame verlo.

—Tendré que consultarlo con la almohada.

—Te llamaré mañana.

Celebró una consulta con Thelma, quien confirmó lo que a los ojos de Ted no necesitaba mayor confirmación: que Joanna no pensaba regresar a sus brazos. Respecto de la conveniencia de que ella viese a Billy, Thelma comenzaba a mejorar su opinión acerca de Joanna.

—El precio de la independencia —dijo—. Debe de ser difícil.

Ted trató de aclarar sus pensamientos definiendo el lugar que él mismo ocupaba. Llamó al abogado.

—¿Cree que puede raptarlo? —preguntó Shaunessy.

—No estaba pensando en eso.

—Ha ocurrido otras veces.

—No sé qué está pensando. Pero dudo que sea en el rapto.

—Bueno, usted tiene derecho legal a rechazar su petición. Y ella tiene derecho a obtener un mandato judicial que le permita verlo. Cualquier juez se lo otorgará. La madre, la Navidad. No hay nada que hacer. Desde el punto de vista práctico, yo diría que si usted no cree que hay riesgo de rapto, se ahorrará mucho trabajo si le permite pasar el día con el chico.

¿Era mejor que Billy viese a su madre, o era mejor que no la viera? ¿Debía obligarla a presentarse ante el juez para que le costara un poco? En ese caso, conseguiría irritarla a costa de su propia inquietud. ¿Era concebible que lo raptara...? Cuando Joanna llamó le formuló directamente la pregunta:

—No estarás pensando en raptarlo, ¿verdad?

—¿Cómo? Ted, puedes seguirnos a veinte pasos de distancia si lo deseas. Puedes apostarte en las esquinas y vigilarme. Vine a Nueva York por pocas horas, sigo viaje a Boston, y después regreso a California. Y eso es todo. ¡Lo único que deseo es ir a la tienda Schwarz en Navidad con mi hijo y comprarle un maldito juguete! ¿Qué debo hacer, rogarte?

—Está bien, Joanna. El sábado, en el Americana a las diez.

Ted informó a Billy que su mami acudía a Nueva York y que pensaba pasar el sábado con él.

—¿Mi mami?

—Sí, Billy.

El chico se mostró pensativo.

—Tal vez me compre algo —dijo.

Esa mañana Ted atendió especialmente a Billy, le cepilló los cabellos, lo vistió con su mejor camisa y los mejores pantalones, y él mismo se arregló con cuidado: nada de mostrar la hilacha. Llegaron al Americana y a las diez en punto salió Joanna del ascensor. Ted se sentía flojo. Estaba deslumbrante. Llevaba una chaqueta blanca, un pañuelo de colores vivos en la cabeza, y exhibía un atractivo bronceado de invierno. Las muchachas de las fiestas, las jovencitas en camisa, todas sus amigas del tiovivo no podían competir con ella.

Joanna no miró a Ted. Fue directamente hacia Billy, y se arrodilló frente al niño.

—Oh, Billy.

Lo abrazó, apretó la cabeza del niño bajo su cara, y se echó a llorar. Después se puso de pie para mirarlo.

—Hola, Billy.

—Hola, mami.

Por primera vez, Joanna se volvió hacia Ted.

—Gracias. Nos veremos aquí a las seis.

Ted se limitó a asentir.

—Bien —dijo ella—. Pasaremos un lindo día —y tomó de la mano a Billy y lo llevó fuera del vestíbulo del hotel.

Ted se sintió inquieto todo el día. Si ella cumplía su palabra y después de ver al niño viajaba inmediatamente a otro sitio, ¿perjudicaría a Billy el episodio, no se sentiría como si lo hubiesen aceptado para rechazarlo en seguida? ¿Qué derecho tenía ella a entrometerse así? Sí, claro, el derecho legal. Nervioso, vio una función doble de cine, miró escaparates, y regresó al vestíbulo del hotel cuarenta minutos antes de la hora, para esperar.

Joanna volvió con Billy pocos minutos antes de las seis. El niño parecía fatigado después de un día largo, pero sonreía.

—Mira, papá —dijo, mostrándole una caja de figuras de plástico—. Muñecos que se mueven, pero no se caen.

—Muñecos.

—Mi mami me los compró.

Joanna dirigió una última mirada a Billy y despues cerró los ojos, como si la imagen del niño la aturdiera.

—Hasta luego, Billy —dijo abrazándolo—. Pórtate bien.

—Hasta luego, mami. Gracias por los muñecos.

Joanna se volvió, y sin volver la cabeza entró en el ascensor.

De modo que Joanna Kramer no había venido al Este para secuestrar a su hijo, ni para reconciliarse con Ted, ni para quedarse. Venía de paso. Había viajado para ver a sus padres y pasar un día con Billy. Ted sabría luego, por los padres de Joanna, que ella les había hecho una visita de un día en Boston y que luego, exactamente como había dicho que haría, había regresado a California. Según parecía, Joanna no podía concebir un viaje tan largo sin ver al niño; pero la distancia que hubiera debido salvar para hacer algo más que verlo era excesiva.

El niño sobrevivió al día sin indicios de inquietud, sostenido por la capacidad infantil para aceptar el mundo tal como se muestra. Mami estuvo aquí. Mami se fue. El cielo es azul. La gente come langostas. Mi mami se fue. Papi estaba aquí. Le regalaron muñecos. Los muñecos se balancean, pero no se caen.

—¿Te ha gustado? —preguntó Ted explorando.

—Sí, ha sido muy bonito.

¿También extrañas a mami? Pero esto no lo preguntó Ted.

Ted Kramer no vio con buenos ojos la intromisión de su ex esposa en la estructura de su vida y sus sentimientos. El hecho de volver a verla lo había irritado. En otro tiempo estuvo casado con la muchacha más bonita de la fiesta, pero lo cierto es que ella se había ido y la fiesta le aburría ya. Thelma decía que el estilo de la vida social que llevaban podía resumirse en la frase «relaciones seriales», una persona tras otra, nada, nada firme y sólido. Los dos meses de Ted con Phyllis, la abogado, superaban el total de tiempo pasado con sus restantes amigas. Thelma decía que todas eran personas lastimadas, Charlie insistía en que se daba la gran vida, y Larry continuaba comprimiendo relaciones enteras en un fin de semana.

A veces, Ted pasaba el domingo en el parque, empujando a Billy en el columpio, al lado de Thelma que empujaba a Kim, y al día siguiente al lado de Charlie que empujaba a Kim. El divorcio de Charlie y Thelma era definitivo. Ted había asistido a sucesivas cenas de celebración del divorcio, episodios desprovistos de alegría, en cada uno de los departamentos de los ex esposos.

—¿Crees que volverás a casarte? —preguntó Charlie, mientras los dos hombres temblaban en un parche de sol, en el parque, mientras los niños jugaban en la nieve.

—Lo ignoro. Como tengo un hijo, soy lo que en publicidad se llama una venta difícil.

—Estuve pensando..., ¿qué ocurriría si volviera a casarme y tuviera otro hijo, y me divorciara otra vez y tuviera que pagar una pensión dos veces?

—Charlie, son demasiados condicionales. No creo que eso sea razón para no hacerlo.

—Ya lo sé. ¡Pero el dinero! Son muchas caries juntas.

Thelma tenía su propia perspectiva acerca del nuevo matrimonio, la explicó en una conversación fragmentaria, unas pocas observaciones de los adultos mientras los niños jugaban, se oía el fonógrafo en el dormitorio de Billy, Oscar el Gruñón explicaba a gritos sus preferencias, y los niños jugaban al escondite por toda la casa.

—La primera vez uno se casa por amor, pero por supuesto uno se divorcia. La segunda vez, uno sabe que el amor es una invención de los fabricantes de anillos. De modo que uno se casa por otras razones.

—Un momento —dijo Ted—. ¡Billy, Kim! ¡Bajad el volumen de Oscar o el vuestro!

—En fin... el segundo matrimonio en realidad viene a confirmar nuestro estilo de vida ante nuestros propios ojos. Como sabes, la primera vez uno se casa con su madre.

—Thelma, no lo sabía. Por favor, no lo difuntas por ahí.

—Pero la segunda vez, uno se casa con uno mismo.

—Si es así, me evita muchas dificultades. Porque entonces ya estoy casado.

Larry se apartó de la manada después de años de correrías. Había decidido casarse con Ellen Fried, una maestra que tenía veintinueve años y trabajaba en el sistema municipal de escuelas públicas. Larry la había conocido en Fire Island, y salía con ella al mismo tiempo que con otras mujeres, de acuerdo con su estilo habitual. Finalmente había decidido jubilar su transporte de muchachas. Ted había visto varias veces a Ellen, y había advertido que ejercía una influencia calmante sobre Larry. Era una mujer de hablar mesurado, reflexiva, menos atractiva y más digna que las mujeres que Larry solía frecuentar.

La boda se celebró en una pequeña suite del Plaza Hotel; asistieron algunos amigos y las familias inmediatas, entre los cuales se incluyeron los hijos del primer matrimonio de Larry, una chica de catorce años y un varón de dieciséis. Ted los recordaba de la época en que eran bebés. Todo pasa tan rápido, pensó.

En una conversación celebrada en un banco del parque, había oído a una mujer que decía a Thelma:

—Todo eso importa poco. No recuerdan mucho de lo que ocurre antes de los cinco años. —Ted no estaba de acuerdo, pues no deseaba pensar que todo lo que él había hecho se olvidaría. La mujer afirmaba que había oído un comentario en la televisión—. Tienen recuerdos sensoriales. Pero no recuerdan nada concreto. Quizá su hijo no alcance a recordar nada de lo que le ocurra hoy. —Ese día, un niño había golpeado a Billy en la cabeza con un camión de metal. En ese caso, tienen suerte, pensó Ted. Valía la pena una sonrisa. Pero volvió a preguntarse cuánto retendría Billy. Y después, cuando fuese mayor, cuando hubiese llegado a la edad de los hijos de Larry, y se alejase, ¿qué clase de influencia habría ejercido el propio Ted sobre su hijo?

—Billy, ¿sabes lo que hace papi para ganarse la vida?

—Tienes un empleo.

—Sí, pero ¿sabes qué clase de empleo?

—En una oficina.

—Es cierto. Tú ya has visto anuncios en las revistas. Bueno, yo consigo las empresas que publican los anuncios en las revistas.

De pronto, a Ted le parecía muy importante que su hijo comprendiese bien la situación.

—¿Te gustaría ver mi oficina? ¿Querrías ver dónde trabajo?

—Claro.

—Quiero que veas todo eso.

Un sábado llevó a Billy al edificio de oficinas de la avenida Madison y la calle Cincuenta y Siete. En el vestíbulo había un guardia uniformado, y Billy mostró temor, hasta que Ted exhibió una tarjeta y los dejaron pasar. Algunos puntos para el gran Papá que no teme. Las oficinas de la empresa estaban cerradas con llave y Ted abrió la puerta principal con su propia llave, y encendió las luces. A los ojos del niño, los largos corredores tenían un aire cavernoso. Ted lo llevó a su oficina.

—¿Ves? Aquí está mi nombre.

—También es mi nombre. Kramer.

Abrió la puerta e hizo pasar a Billy. La oficina estaba en el piso decimocuarto, y desde la ventana de Ted podía verse la calle Cincuenta y Siete, hacia el Este y el Oeste.

—Papá, qué alto es. Qué bonito —y apretó la cara contra la ventana.

Ted se instaló en su sillón de respaldo alto, y se movió hacia la derecha y hacia la izquierda.

—Papi, me gusta tu oficina.

—Gracias, compañero. Mi compañero.

Por lo que a Ted concernía, Billy había tenido las reacciones apropiadas de respeto y admiración hacia su padre. Billy *era* su compañero. Durante todos aquellos meses había sido una constante para Ted. De modo que quizá no recordara todas las actitudes de su padre en esta época. O tal vez no le importase, por doloroso que ello pudiera ser para Ted. Pero ambos habían afrontado juntos una pérdida. Eran aliados.

Billy, siempre estaré contigo, siempre.

—Papá, aquí hay algo que no me gusta. No me gustan los cuadros.

La oficina estaba adornada con portadas de revista de los primeros tiempos de la firma.

—Deberías tener cebras.

—¿Por qué no dibujas algunas y las colgamos?

El niño dibujó algunas criaturas deformes, adornadas con rayas, y su padre las colgó.

Los padres de Joanna llegaron de Boston. El resquemor hacia Joanna que él había percibido durante la última visita a Nueva York se había trocado al parecer en tristeza.

—Qué cosa tan curiosa —le dijo Harriet cuando Billy salió del cuarto—. Los abuelos visitan al niño más que la madre.

Ted supuso que habían abrigado la esperanza de que Joanna permaneciese más tiempo durante la última visita, de que no hubiera regresado tan bruscamente a California, como había hecho de acuerdo con la información que los padres le dieron a él.

—¿Qué hace allí? Quiero decir, para ganarse la vida.

—¿No lo sabes?

—Harriet, no sé nada de su vida. Absolutamente nada.

—Trabaja en Hertz. Es una de esas chicas que te sonríe y hace que alquiles un automóvil.

—¿De veras?

—Abandonó a su familia y a su hijo para ir a California a alquilar autos —dijo Harriet.

Ted desechó prontamente la falta de jerarquía social que Harriet había atribuido al cargo, y se detuvo en el número de hombres con que Joanna toparía durante las horas de trabajo.

—Es independiente, eso dice. También juega al tenis —explicó Sam sin entusiasmo, tratando de defender a su hija en contra de sus propios instintos.

—Me lo imagino —dijo Ted.

—Sí. Conquistó el tercer puesto en un torneo —dijo el padre con voz neutra, tercera en un torneo, pero no parecía que eso lo consolara de la actitud de su hija.

Ted propuso salir a cenar esa noche, la primera vez que formulaba una invitación semejante desde la ruptura, y el matrimonio aceptó. Fueron a un restaurante chino y Sam ganó la batalla por la cuenta, insistiendo en que era el mayor.

—Tengo una buena idea comercial —dijo Ted a

los postres, tratando de apelar a la unidad de la familia—. Caramelos de la *mala* suerte. Uno abre el paquete y el papel dice algo así como «no pregunte».

La idea no les pareció graciosa y volvieron a sentirse melancólicos a causa de la persona ausente.

Al despedirse, Harriet besó torpemente a Ted en la mejilla; era la primera vez en mucho tiempo. Se proponían volver a la mañana siguiente y llevar a Billy a visitar la Estatua de la Libertad; para ellos era un plan ambicioso, pero no permitieron que Ted los disuadiera. Para eso habían venido... para representar el papel de abuelos.

—¿Come muchos dulces? —preguntó Sam—. No hay que darle azúcar.

—Le compro chicle sin azúcar.

—¿Y las vitaminas?

—Todos los días, Sam.

—Probablemente tienen azúcar.

—Bueno, creo que se arregla bien —dijo Harriet.

—Sí, se arregla —agregó Sam, pero, como antes, evitó referirse personalmente a Ted.

—Pero...

Ted esperó la frase negativa.

—...creo que el niño necesita una madre.

Harriet lo dijo con tanto dolor por su hija y tanta desesperación en la voz que él no pudo interpretarlo como una crítica a su persona.

Llegaron temprano al día siguiente, dispuestos a abrir la Estatua de la Libertad. Ted no se había molestado en comunicarles, como no se lo había dicho a nadie, que precisamente ese día cumplía cuarenta años. No estaba de humor para comer una tarta. Los abuelos volverían con Billy bien entrada la tarde. Ted disponía de tiempo, pero no sabía cuál era el modo más apropiado de festejar el día. Quedarse en la cama era lo primero.

Pero era un domingo de invierno bastante benigno y cuando empezó a reflexionar en la fecha salió a pasear por la calle, e impulsado por un capricho... regresó. Para él era fácil, dada su condición de neoyorquino que no había llegado a otra ciudad. Su niñez estaba a media hora de distancia en el metro.

Subió al tren que debía llevarlo a la calle Fordham y la avenida Jerome, en el Bronx. Así se encontró junto a la escuela primaria en la cual había ingresado a los cinco años, treinta y cinco años antes. De nuevo volvía a casa de la escuela.

Los edificios de cinco pisos parecían amazacotados y hundidos, porque pertenecían a otra época arquitectónica. Los pequeños patios que llevaban a la puerta principal, un fútil intento de elegancia, ahora eran depósitos de desechos. Sobre las paredes de las casas había inscripciones. «Tony D» decía: «Con mucho disimulo, aquí te di por el culo.»

Esa mañana de domingo había poca gente en la calle. Tres ancianas se dirigían a la iglesia, y pasaron presurosas al lado de dos hombres de habla española, en mangas de camisa, que manipulaban el motor de un coche. Ted pasó frente a negocios abandonados, esquivó montones de residuos y vidrios rotos, lepra urbana que había afeado gran parte del Bronx y había acabado por invadir su antiguo barrio.

Llegó a su casa, un edificio sin ascensores de la avenida Creston, cerca de la calle Ciento Ochenta y Cuatro. Se sentó en la escalinata de su niñez. Le asombró lo pequeño que parecía todo. El sitio donde practicaba puntería con la pelota, y que en el recuerdo tenía una extensión bastante grande, resultó ser un espacio de pocos metros. La calle donde jugaban docenas de niños era un espacio corto y estrecho. El gran promontorio cercano, desde cuya cima se deslizaban hasta el fondo echados sobre el vientre y subidos a un trineo, era una callejuela con una ligera pendiente. Había pasado mucho tiempo, y sin duda él era muy pequeño, puesto que todo le parecía grande.

Enfrente había un patio donde había jugado a baloncesto. Postes y cestas habían desaparecido y ya no había niños. Pasó una mujer, que lo miró con ojo prevenido, el desconocido en la escalinata, quizá con intenciones de atacarla.

Estaba sentado, repasando mentalmente los juegos de su infancia, viendo espectros en las esquinas, chicos y muchachas. Cierta vez, en el patio de la escuela había tomado una pelota arrojada por Stuie Mazlov, el mejor tirador de la manzana, que miraba irritado mientras la pelota volaba sobre el techo. Veía de nuevo toda la escena. Esos recuerdos tenían fuerza suficiente para conservar sus perfiles treinta años después. Y sin embargo, así que pasaran unos años, Billy, un niño pequeño, tendría la edad que su padre había tenido cuando hacía aquellas cosas. Meditó acerca de lo perecedero en el marco de la segunda generación.

Llegó a la conclusión de que allí había pasado momentos felices, por lo menos fuera de la casa, jugando en la calle. Billy estaba perdiéndose algo, porque no tenía una escalinata en la cual sentarse, ni calles para jugar que estuviesen libres de tránsito, ni un ayudante que podía detener un vehículo con la mano, mientras el bateador de la finca lanzaba el tiro, treinta años atrás.

A Billy le faltaba algo más que una calle de barrio. El niño necesitaba una madre, había dicho ella. ¿Cuánto tiempo podía seguir así, sin que hubiera en su vida una mujer para Billy, y para él mismo?

¡Eh, señor Evans! Un anciano caminaba del otro lado de la calle. ¿Me recuerda? Yo solía comprar en su tienda. Soy Teddy Kramer. El hermano de Ralph. Me gustaban muchísimo sus helados de vainilla. Trabajo en publicidad. Mi mujer se ha ido de casa. Ahora estoy divorciado. Tengo un hijo. Pronto cumplirá cinco años. Cuando yo tenía cinco años vivía aquí.

Se había ofrecido a sí mismo un regalo de cumpleaños para suicidas.

Ted caminó hasta el Grand Concourse y se detuvo frente al Paraíso, su viejo cine, que tenía estrellas y nubes movibles en el techo. Ahora estaba dividido en tres cines: Paraíso 1, Paraíso 2 y Paraíso 3. «¿Cómo es posible que haya un Paraíso 2?», preguntó a un peón de limpieza que estaba barriendo frente al local.

—No sé.

—Debían llamarlo el Paraíso Perdido.

El hombre no compartía la necesidad de perspectiva histórica de Ted. Continuó barriendo. Cuando Ted se dirigía al metro, vio a un hombre de tez manchada que iba hacia él. Las líneas de la cara le parecieron conocidas, Frankie O'Neill, de la manzana contigua. El hombre parpadeó y poco a poco reconoció a Ted.

—¡Frankie!

—¿Eres tú, Teddy?

—Yo soy.

—¿Qué estás haciendo aquí?

—Mirando un poco.

—No te veo desde hace...

—Mucho tiempo.

—¡Santo Dios! ¿Dónde vives?

—En el centro. ¿Y tú?

—En la Ciento Ochenta y Tres y Concourse.

—No me digas. ¿Ves a la vieja gente?

—No.

—¿Qué haces, Frankie?

—Atiendo un bar. El Gilligan. Todavía está allí. Una de las pocas cosas del barrio que sigue igual.

—Gilligan. Extraordinario —dijo Ted, porque no quería ofender al hombre diciéndole que jamás había estado en Gilligan.

—¿Y tú?

—Trabajo en publicidad.

—¿Qué me dices? ¿Casado?

—Divorciado. Tengo un hijo. ¿Te casaste?

—Tres chicos. Me casé con Dotty McCarthy. ¿La recuerdas?

—Oh, claro que la recuerdo. Frankie..., ¿recuerdas que una vez nos peleamos? Y yo tenía la chaqueta sobre la cabeza, no podía sacármela, y tú me pegabas.

Nueve años, una pelea que Ted no olvidaría. Los aficionados del lugar, formados en los combates de los viernes por la noche en el Garden, intervinieron en el asunto, divertidos ante la ridícula postura de Ted, que manoteaba el aire sin poder ver. Nunca pudo olvidar su vergüenza, una pelea perdida por K. O. técnico e interrumpida a causa de la chaqueta en la cabeza.

—¿Peleamos? ¿Tú y yo?

—¿No recuerdas?

—No. ¿Quién ganó?

—Tú.

—Bueno, lo lamento.

—Paraíso 2 y 3. ¿No es vergonzoso?

—Sí.

Y guardaron silencio, un tanto molestos.

—Teddy, me alegro mucho de verte. Si andas por el barrio, ven al bar. Estoy desde las cinco.

—Gracias, Frankie. Adiós.

Una copa en el Gilligan, donde nunca había estado, en lo que quedaba del viejo barrio, no era precisamente lo que deseaba el día que cumplía cuarenta años. Regresó al centro en el metro, una vez en casa vio un partido de baloncesto en la televisión. Después, cuando Billy ya estaba durmiendo, brindó por sí mismo con una copa de coñac. Feliz cumpleaños, cuarenta años. En un momento así, lo que Ted hubiera deseado realmente habría sido escuchar el programa radiofónico La Pandilla mientras bebía su leche con chocolate.

DOCE

Jim O'Connor telefoneó a Ted y le pidió que fuese a su oficina. Cuando entró, encontró a O'Connor a las nueve y media de la mañana con una botella de whisky sobre el escritorio y dos vasos.

—Las bebidas son por cuenta de la casa.

—¿Qué pasa?

—Ted, te has quedado en la calle.

—*¿Qué?*

—Perdiste el empleo yo perdí el empleo, todos perdimos el empleo. El viejo vendió la firma. Tienes dos semanas de preaviso, y toda esta semana puedes usar la oficina para encontrar trabajo. Brinda.

Ted bebió un trago. Se estremeció levemente, pero el alcohol tuvo escaso efecto. Podía haberlo vertido sobre un secante.

—¡Vendió la firma! ¿Quién es el comprador?

—Un grupo de Houston. Creen que es allí donde han de estar las verdaderas zonas de esparcimiento. Compraron al viejo la patente de las revistas y piensan trasladar todo. Nosotros somos prescindibles. No conocemos la región.

—Pero conocemos el negocio.

—Quieren arreglarse con su propia gente. Estamos despedidos.

Los de la agencia de colocación alentaron relativamente a Ted, pero se trataba de un campo especializado y él sabía que no había muchos empleos. Supo que en ese momento había tres cargos posibles, todos con retribución mucho menor que la que había estado ganando. Incluso ignoraba si podía aceptar alguno de esos puestos. Era difícil que el dinero le alcanzara. De todos modos, aceptó las entrevistas sólo para adquirir el ritmo de la búsqueda de empleo. Para quien necesitaba conseguir nuevo empleo antes de verse obligado a informar a su familia y sus amigos que había perdido el que tenía, el proceso era desmoralizador. Pasaron horas y días con escasas novedades, mientras lo llevaban de una persona a otra dentro de una misma empresa. Se inscribió para acogerse al subsidio de paro. Siempre llevaba consigo un libro para leer y esto le permitía no mirar las paredes de las salas de recepción. Hacia la tercera semana sin trabajo, mientras las entrevistas se prolongaban, un viernes por la tarde descubrió que no tenía citas, ni llamadas telefónicas que hacer, nada concreto salvo esperar la sección de avisos clasificados del domingo; y antes de seguir leyendo o ir al cine prefirió reunirse con Etta y con Billy en el parque, sólo por hacer algo. Sabía que estaba en un aprieto.

Trató de dominar sus sentimientos, de convertir conscientemente la búsqueda de trabajo en una tarea de dedicación integral. Debía levantarse temprano en la mañana, vestirse como cuando salía a trabajar, acercarse al centro de la ciudad, usar como oficina la bibliteca de la calle Cuarenta y Dos, hacer llamadas desde los teléfonos públicos del edificio, mantenerse atareado, leer entre una cita y otra. Marcaba los anuncios, preparaba listas, visitaba las agencias de empleo. Pero comenzaba a cansarse. Algunos días comenzaba la mañana sin tener nada importante que hacer hasta el mediodía, hora en que debía llamar a una agencia de colocación. Repetía el juego de vestirse y encaminarse al centro con los que tenían trabajo, para llegar a la biblioteca y encontrarse con que su única actividad era leer el diario. Y en la biblioteca de la calle Cuarenta y Dos ni siquiera se le permitía leer el diario: registraban y había que pasarlo de contrabando. Trasladó su oficina a la sucursal próxima, donde permitían diarios y tenían *Informes al Consumidor*. Podía matar el tiempo informándose acerca de productos que jamás necesitaría.

Un funcionario de la seguridad social quiso saber qué había hecho concretamente el día anterior para hallar trabajo, cuántas llamadas telefónicas, cuántas entrevistas, dónde estaban las pruebas..., ¿podían verificarse? Ted había pasado el día en la biblioteca, y había hecho dos llamadas telefónicas.

—Señor Kramer, ¿por qué no es más flexible? ¿Por qué no intenta vender persianas o algo por el estilo? —preguntó el hombre.

—Eso tiene posibilidades limitadas. Los inviernos son cada vez más cálidos. Todas las estaciones tienden a igualarse.

—Señor Kramer, ¿quiere mostrarse sarcástico?

—Lo que quiero es encontrar trabajo. Necesito el dinero. ¿Sabe lo que cuestan los cigarros puros?

—Ese no es el asunto...

—Cincuenta y tres centavos, y la mayor parte es aire.

Cursó la reclamación, pero con malicia, haciendo sentir a Ted la presión administrativa. Ahora se le observaba. Todas las semanas tenía que esperar largo rato una entrevista para demostrarles que tenía derecho al dinero.

Había calculado que para vivir necesitaba casi 425 dólares semanales: el alquiler, la lavandería, Etta, los cigarros. La seguridad social le suministraba 95 dólares semanales. Incluso trabajando, dado el costo de su empleada, los gastos eran elevados, y cuando recibía el cheque necesitaba ese dinero. Nunca conseguía ahorrar. En el Banco disponía de un total de 1.800 dólares. En menos de dos meses habría agotado todo su caudal.

Explicó a Etta que estaba sin trabajo y buscando empleo, lo cual ella podía percibir claramente. La mujer propuso postergar el pago de su sueldo, pero Ted prefirió continuar pagándole su trabajo. No había dicho nada a Billy. Pero no te fíes de las caras inocentes.

—Papá, ¿te han tirado?

—¿De dónde has sacado eso?

—Ahora te quedas más en casa. Y en la familia Flint, Fred también se quedaba en casa. Lo habían echado.

—¿Sabes lo que eso significa?

—Que no tienes empleo.

—Bueno, no fue exactamente así. Mi firma se trasladó, y ahora estoy buscando otro trabajo.

—Oh.

—Y pronto lo tendré.

—Entonces, ¿mañana podrás jugar conmigo?

—Billy, será mejor que busque trabajo.

Hacía seis semanas que estaba sin empleo. Había descendido al nivel B, y enviaba sus antecedentes a publicaciones comerciales cuyas direcciones había encontrado en un libro de referencias.

William Kramer tenía cinco años. Su cumpleaños señalaba todo un año de sus vidas desde la partida de Joanna. Ted organizó la fiesta. De acuerdo con lo solicitado, una tarta Batman y seis amigos especiales. Ted observó que un Batimóvil en miniatura y una fiesta modesta para un niño costaban 38 dólares.

Consideró la posibilidad de aceptar un empleo temporario de vendedor en una gran tienda, o ventas por teléfono, pero cualquiera de esas soluciones habría anulado el subsidio de paro. Lo único conveniente era insistir en su propia especialidad. El dinero desaparecía. Todo costaba tanto.

—Has perdido el empleo. ¡Ahhh!

Había tenido la intención de anunciar discretamente el hecho a sus padres apenas consiguiese nuevo empleo. Cuando su madre le preguntó directamente:

—¿Cómo están las cosas? —él sabía que el camino que llevaba a una conversación serena era decir: «Muy bien», pero sinceramente no podía decirlo.

—Mamá, lamento decirte que la compañía desapareció. Todos perdimos el empleo. Estoy buscando, y conseguiré algo muy pronto.

—Lo han despedido, ¡lo han despedido!

Su padre se acercó al teléfono.

—Ted, ¿te han despedido? ¿Por qué te han despedido?

—Escucha, papá, han despedido a Pedro Picapiedra. A mí me invitaron a irme.

—¿A quién han despedido?

—Vendieron la firma a la chita callando.

—¿Y no te llevaron? Seguramente hiciste algo malo, por eso no te llevaron.

—No quieren a ningún miembro del personal local. Se instalaron en otra ciudad.

—¿Y ahora?

—Ya encontraré algo.

—Lo han despedido. ¡Ahhh! —Su madre había retomado el hilo—. Ted, tienes que mantener a un niño, y pagar a esa persona, y hoy está todo por las nubes. Y estás solo, no tienes esposa que te ayude, Dios no permita que ocurra algo, ¿qué iba a hacer el niño? ¡Y no tienes empleo! ¿Qué estás haciendo con tu vida?

A Ted se le ocurrió que no había olvidado nada.

Concluyó la conversación asegurándole que el contingente neoyorquino podía sobrevivir; mientras su padre gritaba desde el otro extremo del hilo que tal vez Ted debía ir a Florida y hacerse taxista —había tantos viejos que no sabían conducir y no podían caminar; se gana mucho— y a Ted le pareció que eso implicaba una interpretación completamente equivocada de lo que él era.

La secretaria de la agencia que había recibido con entusiasmo el resumen de sus antecedentes, y que le dijo que conseguiría colocarlo en el plazo de una semana, hacía tres semanas que no contestaba sus llamadas. Se acercaba el verano. La gente no dejaba sus empleos, los conservaba para gozar de las vacaciones. Su cuenta en el Banco había descendido a 900 dólares.

—Billy, maldita sea, ¡te dije que salieras! ¡Ya he jugado contigo! ¡He estado contigo una hora entera después de la comida! No puedo seguir jugando. Ponte a mirar un libro.

—No me grites.

—Nada de llantos.

—No lloro.

—¡Fuera de aquí! ¡Ve a tu cuarto!

Lo aferró y lo obligó a salir del dormitorio, y el pulgar y el índice de su mano apretaron de tal modo el brazo del niño que lo dejaron marcado.

—¡Me haces daño! —comenzó a llorar.

—No quise lastimarte. Pero no quiero que vengas a lloriquear. Juega solo, maldita sea. Déjame en paz.

El trabajo era el núcleo del sentido de su propia personalidad. No creía tener dotes especiales. Le había llevado años encontrar aquel sector especial del comercio. Vendía ideas de publicidad, era un vendedor de espacios. Su oficio, sus trajes y corbatas, su nombre impreso en el papel de cartas, las secretarias, las oficinas modernas, el dinero que le permitía seguir funcionando, tratar de olvidarla, pagar a la mujer, comprar el vino, todo provenía del trabajo que lo sostenía. Sin trabajo se sentía impotente.

Y con el niño todo era esencial, porque se trataba de un ser que dependía de su padre. Otras veces se había quedado sin trabajo, pero nunca había tenido ese sentimiento de ansiedad. Si Ted Kramer se despertaba por la noche, pasaban horas antes de que pudiese volver a dormir.

Había comenzado a presentarse nuevamente ante el personal de las agencias de colocación, que había remitido a lugares equivocados sus antecedentes, archivado su tarjeta, olvidada su persona en el ciclo de nuevos candidatos, despedidos después de su última visita.

—¿Cuándo ha dicho que fue, señor Kramer?

Billy, deseoso de ayudar, ofrecía consuelo, un elemento del universo de dibujos animados.

—¿Recuerdas cuando despidieron a Pedro Picapiedra?

—Sí, tú me hablaste de eso.

—Bueno, yo estaba mirando, y Pedro consiguió otro trabajo. ¿No es bueno eso, papi? Quiere decir que tú también lo conseguirás.

Tuvo noticias de Jim O'Connor. Había realizado un viaje a Europa con su esposa, y luego decidió regresar al mundo del trabajo una vez más antes de jubilarse. Se había incorporado a una revista llamada *Moda masculina*. O'Connor quería saber si Ted se había «colocado» o si aún «estaba a la intemperie». «A la intemperie» parecía una frase muy inexacta, porque ese día la temperatura se elevó a 42 grados, y Ted había caminado penosamente en medio de la humedad, para asistir a una entrevista en una publicación profesional, *El mundo del envase*. O'Connor le dijo que su período más prolongado había sido durante una crisis de la década de los cincuenta, cuando había estado «a la intemperie» un año entero, una observación que no era muy alentadora.

O'Connor no podía prometer nada, apenas estaba comenzando a organizarse, pero deseaba que Ted trabajase para él, si podía convencerlo de la conveniencia de probar suerte, si él conseguía bastante dinero, si Ted podía esperar un mínimo de cuatro semanas, el tiempo que O'Connor necesitaba para establecerse.

—Hay muchos condicionales. Ya hablaremos más adelante.

—Prométeme que no aceptarás nada antes de hablar otra vez conmigo.

—Trataré de no aceptar nada.

Sólo le quedaban seiscientos dólares. *El mundo del envase* estaba «muy interesado» por un sueldo de mil novecientos, quizá podían estirarse a dos mil, menos de lo que había ganado en su empleo anterior, y no descuidaban detalle. Tenía que preparar una visita de ventas ficticia, como si ya estuviera trabajando para ellos; el supuesto cliente era un hombre untuoso, en la sesentena, y era simultáneamente el gerente de publicidad y el propietario de la publicación, el que cortaba el bacalao.

—Muy bien. Le informaremos dentro de una semana, más o menos.

Era como si acabase de cantar *Pon buena cara* al público.

—No hemos aclarado el asunto del sueldo.

—Mil ochocientos cincuenta, más las comisiones.

—Usted dijo mil novecientos, quizá dos mil.

—¿Dije eso? Fue un error. No. Mil ochocientos cincuenta. Ya es más de lo que pagaríamos a otros.

—Un poco bajo.

—Bueno, nosotros no somos *Life*.

Una observación hábil, pues la revista *Life* había cerrado, y en cambio *El mundo del envase* se mantenía. De modo que tenía la posibilidad de conseguir empleo, a su juicio unos dos grados debajo de «cualquier cosa». Al margen de la sugerencia de Jim O'Connor, era lo único que se le ofrecía. Si aceptaba el empleo, probablemente tendría que trasladarse a un edificio más viejo para disminuir el alquiler. Si se mudaba, el costo de la mudanza anularía los ahorros determinados el primer año por el cambio de domicilio. Desde el punto de vista puramente monetario, los resultados serían casi lo mismo que podía obtener de taxista. Pero ser taxista en Nueva

York era una profesión semipeligrosa. Los chóferes a menudo rendían tributo a la profesión. Le divirtió pensar que ésa era una de las razones que lo inducían a aferrarse a su especialidad. Pocos vendedores de espacios perdían la vida en la profesión. Después comenzó a pensar... ¿y si le ocurría algo grave? ¿Si sufría un accidente, o incluso moría? ¿Cómo quedaría Billy? Advirtió que no había hecho testamento. ¿Qué pasaría si moría súbitamente? ¿Quién se haría cargo del niño? ¿Sus padres? Inconcebible. ¿Los padres de Joanna? Imposible. Ted Kramer se absorbió en el pensamiento de su propia muerte. Entonces, decidió ofrecer el niño a la única persona que le parecía digna de confianza.

—Thelma, si yo muero...

—No digas eso.

—Escucha. Si me pasa algo y muero, ¿te harás cargo de Billy?

—Es lo más conmovedor...

—¿Lo harás?

—¿Hablas en serio?

—Sí, en serio. Sé que no es fácil responder a mi pregunta.

—Ted...

—¿Lo pensarás?

—No sé qué decirte.

—Bien, si estás dispuesta, quiero incluirlo en mi testamento.

—Ted, no hables así.

—Quiero decirlo en mi testamento.

—Puedes hacerlo, Ted. Estoy dispuesta.

—Gracias, Thelma. Muchísimas gracias. Billy estará bien contigo. Eres una buena madre.

Apremiado por esa morbosa obsesión, llamó al abogado y le dijo que redactara un testamento que dejara a Thelma la tutela de Billy; y después exigió que su médico, a quien hacía dos años que no consultaba, lo sometiera a un examen físico urgente que confirmara que no moriría el martes siguiente. El médico le informó que parecía hallarse en buenas condiciones... los informes del laboratorio debían llegar pocos días después. La mañana del fin de semana siguiente, alentado por el veredicto de su buena salud, fue al parque con Billy e hizo cabriolas y jugó animosamente a los monos, una actividad que todavía era muy apreciada por el niño. Ted imaginaba a su hijo descendiendo entre dos filas de bancos en la iglesia, y pidiendo que ambos fueran al parque a realizar unas rápidas piruetas de monos antes de la ceremonia, si Ted vivía para verlo, por supuesto.

A lo sumo podía retener a Etta unas pocas semanas más. Ella le había ofrecido postergar el pago de su sueldo, pero él no podía aceptar que la mujer subsidiara su falta de empleo. Y si la situación se prolongaba, comenzaría a crecer la deuda. ¡Un año! O'Connor había estado un año sin trabajo. Quizá tendría que ocuparse personalmente de Billy durante el día y pagar a una cuidadora para acudir a las entrevistas. Era probable que en esas condiciones aceptasen al niño en un centro infantil, o le diesen bonos para alimentos.

Su hermano Ralph llamó desde Chicago. ¿Cómo estaba, necesitaba dinero? A Ted le habría parecido una derrota personal aceptar nada de su hermano mayor. Replicó que no necesitaba dinero. Ralph iba a salir por asuntos de negocios la semana siguiente y propuso que se encontraran y fueran a ver un partido de pelota. Llamó por teléfono a su esposa, Sandy, y ella observó que hacía más de un año que no se veían. Ella y Ralph proyectaban ir a Florida con los chicos durante el verano, tal vez Ted pudiese llevar a Billy, y habría una reunión de la familia. Ted dijo que pensaría en el asunto. Pero no veía cómo pagar un viaje a Florida.

La alacena estaba casi vacía. Las facturas de la comida eran impresionantes. Con los instintos de supervivencia creados en su escuela del Bronx —los vencedores defienden el terreno, los perdedores salen, uno hace todo lo posible para triunfar—, Ted inició lo que él mismo denominaba La Maniobra Gastronómica. Cogió un puñado de tarjetas de crédito de grandes tiendas, que habían quedado del tiempo en que vivía con Joanna y que aún tenían validez, porque no debía nada en ellas, y comenzó una campaña de desordenadas compras. Fue a todas las tiendas que tenían una sección de alimentos o especialidades culinarias. Ted Kramer, que no podía permitirse la compra de carne picada ni sobrepasar un límite muy modesto en el supermercado, sabía que podía comprar alimentos en una gran tienda y que las cuentas tardarían semanas en llegar; ya vendría el momento de saldarlas, excelentes arvejas al doble del precio que jamás había pagado, trucha de Colorado, salmón de Washington, distintos artículos de elevado precio, pastas italianas, galletitas escocesas: «Señora, ¿de veras llegó este pan por vía aérea de París? Sorprendente. Me lo llevo.» Se hizo llevar a casa una parte y la otra la transportó personalmente; no pagó nada en efectivo. Cenas congeladas completas, ternera al marsala, paella preparada por cierta señora Worthington. Bendita sea, señora Worthington. Bendita sea, señora Worthington, qué bien distribuye sus productos. Incluso algunos artículos comunes, huevos frescos de Nueva Jersey, crema de cacao. «¿Pizza congelada? ¿Es realmente sabrosa, o nada más que pizza congelada? Muy bien. Me llevo cuatro.» Llenó el frigorífico, sobrecargó las divisiones y amontonó cajas en la despensa. Si todo fracasaba, podrían comer pollo a la cazadora, y además no necesitaba pagar nada ahora mismo, una pequeña suma cada vez bastaría; con que se les pagase algo. Las grandes tiendas sólo deseaban saber que uno estaba allí, que no había desaparecido. Y él continuaba allí.

Se reunió con su hermano Ralph en el bar Blarney Stone de la Tercera Avenida. Pensaban pasar la tarde al viejo estilo: cerveza y bocadillos de pastrami en un bar, luego irían al estadio Shea para presenciar el encuentro de los Mets con los Dodgers. Ralph era un individuo alto y musculoso, con cierto atractivo al estilo duro. Vestía un traje de seda, una angosta corbata rayada y mocasines. Hubiera podido confundírsele con un actor de televisión deseoso de que lo confundieran con un promotor.

—Teddy, estás delgado.

—He tratado de rebajar peso.

—Eh, un bocata de morcilla para éste.

—Magnífico. Y cerveza para beber.

—Ha pasado mucho tiempo.

—Lo sé.

A través de la ventana, Ralph miró las piernas de una muchacha que pasaba y luego se centró en su bocadillo. El sentido de intimidad nunca había sido muy notorio en la familia y tampoco parecía descollar en la mesa esa noche. Ted tenía la deprimente sensación de que después del primer bocado de pastrami ya no tenían nada que decirse.

—Eh, Teddy, ¿recuerdas los viejos tiempos...? Los Gigantes y los Dodgers en una serie de tres encuentros? —dijo Ralph, que al parecer sentía la misma tensión.

—Era magnífico.

Por suerte tenían el béisbol de los viejos tiempos que les ayudaba a pasar el rato, Ernie Lombardi con sus tiros de 130 metros, y los juegos a que concurrían cuando eran más jóvenes. Así llegaron al estadio y el mismo juego les ayudó a pasar el momento mientras hablaban de los tiros y los pases y el desarrollo del encuentro. Hacia el final, Ralph dijo:

—Mira el estadio. Esas banderitas idiotas. ¿Qué saben de béisbol?

—Y música de órgano.

—Teddy, ven a Chicago. Puedo instalarte un negocio de licores.

—Gracias, Ralph, pero no está en mi línea.

—No quiero decir *en* Chicago. En las afueras.

—Te lo agradezco, Ralph, pero no quiero.

Volvieron a mirar el juego, y después, apiñados en un atestado vagón del metro, no necesitaron seguir hablando en el trayecto hasta Times Square. Mientras caminaban en dirección al Hilton, donde se alojaba Ralph, volvieron a conversar del baloncesto de los viejos tiempos.

—¿Qué te parece si tomamos una copa?

—Es demasiado tarde. Billy se levanta muy temprano.

—¿Está bien?

—Así parece.

—¿Tienes perspectivas?

—Algunas.

—Teddy, necesitas el pan de todos los días.

Su pan venía por vía aérea de París.

—Estoy bien, no te preocupes.

—¿Cómo es posible?

—Así es.

—Dime qué necesitas.

—No, estoy bien, Ralph.

El dinero representaba tiempo. Necesitaba tiempo, necesitaba desesperadamente dinero, y sin embargo, no podía pedirlo.

Le costaba demasiado trabajo reconocer la imperiosa necesidad.

—Ralph, fue una noche agradable. Volvamos a reunirnos cuando vengas por aquí.

Se estrecharon las manos; de pronto Ralph cogió la mano de Ted y no lo dejó ir.

—En nuestra familia siempre tenemos esa condenada reserva. Teddy...

—Has venido, Ralph. Y hemos pasado una noche agradable.

Comenzaron a hincharse las venas de la frente de Ralph.

—¡Teddy! ¡Tú necesitas algo!

—Ya te dije, Ralph...

Ralph metió la mano en el bolsillo interior de la chaqueta, sacó su talonario y con la otra mano siguió reteniendo a Ted.

—Teddy, no hables. No hagas nada.

—Ralph, no lo aceptaré.

—Teddy, déjame hacer esto.

—No, Ralph.

—Necesito hacerlo. Déjame hacerlo por ti.

Y rápidamente rellenó un cheque antes de que Ted pudiera apartarse; con movimientos apremiosos lo plegó y lo metió en el bolsillo de su hermano.

—Me lo devolverás cuando seas rico.

Ralph abrazó a su hermano y dijo:

—No es más que dinero —y se alejó.

Ted no miró el cheque. No podía hacerlo. Regresó a su casa, se sentó frente a la mesa del comedor y finalmente desplegó el cheque sobre la mesa. Lo miró y después hundió la cabeza en los brazos. Era un cheque por 3.000 dólares. Su hermano le había comprado una porción de tiempo. A la mañana siguiente podía llamar al *Mundo del envase* y decirles que se guardaran su piojoso empleo.

La revista *Time* lo llamó; Ted pasó varios días conversando con ejecutivos de la firma, y todos al parecer recibieron una impresión favorable. Había un problema. Un vendedor de la oficina de la Costa Occidental, que inicialmente había dicho que no deseaba ir a Nueva York, estaba reconsiderando su actitud. Aquel hombre tenía prioridad.

Era para volverse loco. Tenía un niño a quien cuidar. Sentía que estaba fracasando precisamente en lo que él consideraba una función fundamental, mantener la casa.

Comenzó a caminar hacia el centro, treinta manzanas hasta la biblioteca, y a caminar de regreso para mantenerse ágil y evitar gastos de transporte. Charlie le obligó a aceptar un número de teléfono.

—Es hermosa. Unos dientes fantásticos. Le estoy haciendo una corona. —Ted dijo que no tenía dinero ni interés, ni fuerza para comenzar desde el principio con una persona y recorrer toda la lista de lo que le gustaba y le desagradaba.

Jim O'Connor lo llamó para explicarle extensamente que había hablado con el presidente de la compañía y que no querían un vendedor que trabajase a comisión, porque deseaban reducir los costos varios; Ted comenzó a alejar el teléfono de su oído. Prefería un no tajante. En fin, una situación clara y definida. ¡No soporto esta espera!

—En definitiva, Ted, tuve que aceptar. De modo que se trata de vender espacio, más los detalles que usted conoce perfectamente... investigación, hablar a la gente del departamento de redacción, en fin.

—De acuerdo.

—No habrá comisión. No sé cómo llamarlo. Ventas y administración. Quizá ayudante del gerente de publicidad. Veinticuatro mil iniciales.

—Bien, ¿cuándo se resuelve?

—Está resuelto.

—Entonces, ¿con quién tengo que hablar?

—Con nadie.

—¡Vamos, Jim!

—La decisión es mía.

—Jim...

—Ted, eres mi mano derecha. ¿Quieres el puesto?

—¡Sí, lo quiero!

—Entonces, es tuyo. Ya estás en la empresa. Nos veremos el lunes a las nueve y media.

Cortó la comunicación y dio un salto en el aire.

—¡Yahhah! —y gritaba y saltaba como el animador de un equipo de fútbol. Billy llegó corriendo de su cuarto, donde estaba montando una fábrica con su meccano.

—¿Qué pasa, papi?

—¡Tengo trabajo, muchachito! ¡Tu padre deja de hacer el vago!

—Estupendo —dijo el niño con expresión plácida—. Ya te lo decía.

—En efecto. —Y Ted alzó al niño y giró una y otra vez, sosteniéndolo en el aire—. ¡Tu papi consiguió trabajo! Ya estamos bien. ¡Y mejoraremos!

Pero, hijo mío, nunca más. No quiero que jamás vuelva a ocurrirme algo semejante.

TRECE

La revista *Moda masculina* estaba en los quioscos; era una publicación de aspecto elegante, con muchas páginas en color. La empresa formaba parte de una cadena de origen sudamericano que tenía intereses en la industria textil, y los directores de la firma deseaban una revista que ayudase a promover la moda en el sector masculino. Ted trabajaba con presentaciones de ventas que él ayudaba a crear, y al parecer había comenzado bien, porque tenía ya varios contratos. Le complacía recordar que era eficaz en su profesión.

Devolvió a su hermano los 3.000 dólares, y acompañó éstos con un regalo que encontró en una librería de viejo, *Quién es quién en el béisbol. 1944.* «¿Qué pasó con el equipo Saint Louis Browns?» escribió en la nota adjunta. Cuando llegó al saludo de despedida, recordó las formas indiferentes que antes solía usar cuando escribía a su hermano: «Saludos», «Hasta pronto», «Recuerdos a tu esposa». Esta vez pudo escribir: «Cariños, Ted.»

Por recomendación de Thelma inscribió a Billy en un campamento de verano. Kim había ido el verano anterior, el último que Thelma y Charlie habían pasado juntos.

Un mediodía, a la hora del almuerzo, Ted asistió a una reunión de padres de familia. En definitiva, fue una reunión de madres; él era el único hombre. Se sentó entre las mujeres y conoció a los preceptores de Billy, un varón y una chica que asistían a la universidad y que miraban a Ted como si tuvieran catorce años. Ted tomó algunas notas: Billy debía llevar tarjetas con su nombre, un par suplementario de pantalones y una muda de ropa. Supo que los demás lo miraban. ¿Qué os parezco, amigos, un viudo? ¿O un individuo sin empleo, mientras mi esposa trabaja? Apuesto a que no adivináis. Mientras el jefe de consejeros describía un día típico en el campamento, Ted comenzó a sentirse nervioso. ¿Era lugar seguro una piscina? ¿No se sentiría solo Billy al cabo del día? Su Billy debía salir de la ciudad en un autobús, llevado por desconocidos a un lugar de las afueras, bastante más que un viaje en taxi. Y en otoño Billy debía comenzar la escuela, la verdadera escuela, con todo el aparato formal impuesto por la junta de educación, y días de concentración y el Juramento de Fidelidad. *Ellos* comenzaban a hacerse cargo. Su precioso primitivo debía entrar en una institución, y allí se proponían pulirle las aristas, y sería una carita más en la fila de los que esperaban el vaso de leche. Billy salía del campamento, y luego tendría que ir a la escuela; Ted sentía la ansiedad de la separación.

Ted debía esperar con Etta, por la mañana, la llegada del autobús, pero a Billy le avergonzaba besar a su padre frente a los restantes niños. Estrecharse las manos era cosa de adultos y Ted no estaba dispuesto a eso. Resolvió el problema palmeando la espalda de Billy.

El mundo exterior hacía sentir su presencia, los niños formulaban preguntas, y Billy también.

—Papi, ¿dónde está mami?

—Tu mami está en California.

—¿Volvió a casarse?

—¿Casarse? Por lo que sé, no volvió a casarse. ¿Quién ha dicho esa palabra?

—Carla, en mi campamento. Sus padres se divorciaron y su mami volvió a casarse.

—Sí, suele ocurrir. Algunos vuelven a casarse con otras personas.

—¿Y tú?

—No sé.

—¿No piensas volver a casarte con Phyllis?

¿Phyllis? La abogado. Casi la había olvidado.

—No, Billy.

—¿Papá?

—¿Sí, Billy?

—¿Mami y tú volveréis a casaros?

—No, Billy. Papi y mami no volverán a casarse.

Jim O'Connor dijo a Ted que se tomase dos semanas de vacaciones, y que deseaba que saliera por ahí.

—Quizá lo haga.

—Ted, usted ha trabajado demasiado. ¿No hay nadie en su vida capaz de explicarle que está agotado?

Eliminó Fire Island, porque no deseaba formar parte del público de nuevos colapsos nerviosos. Repasó las ofertas de viaje, giras especiales basadas en el precio para dos personas. Era el caso de Ted. Dos personas, él y su sombra. En una salida de esa clase Billy jamás estaría fuera de su vista, a menos que Ted intentara contratar a una niñera para que cuidase del niño mientras él buscaba compañía en el bar. No eran exactamente unas vacaciones de lujo. Estaba cansado. El período sin trabajo lo había agotado, después había trabajado mucho y sabía que un período concentrado a solas con Billy, atendiendo las típicas exigencias de un niño, no representaba una forma de descanso y rehabilitación. Finalmente decidió tomarse dos semanas en agosto, pasar la primera semana con Ralph y la familia en Florida, una reunión que ya se había demorado mucho, y después regresar para pasar una semana en Nueva York. Si Billy estaba todo el día en el campamento, podía quedarse solo a descansar, dormir la siesta, ir al cine, quedarse en casa, comer helados de chocolate en la cama y ver durante un día películas de la televisión; en resumen, tranquilizarse.

En el trayecto hasta el aeropuerto, Ted reveló la gran noticia, confirmada ya por su cuñada.

—Billy, cuando lleguemos a Florida también iremos a Disneylandia.

Al chico se le agrandaron los ojos. Había visto los anuncios de Disneylandia en la televisión.

—Sí, William Kramer. Conocerás al Ratón Mickey.

En el aeropuerto fueron recibidos por Ralph, Sandy, Dora y Harold, que saludaron a Billy con besos y chocolates, y una bolsa de caramelos que habría provocado la apoplejía de los dos abuelos restantes.

Con la boca llena de dulces, el niño sintió que amaba Fort Lauderdale. El plan era dormir en un motel cercano, y que todos pasaran esos días junto a la piscina, en casa de Dora y Harold. Después de tomar habitación, se reunieron con el sobrino y la sobrina de Ted. Sandy había sido modelo en Chicago, era una pelirroja alta, de largas piernas, y provocaba en todos los viejos que volvían a la piscina el peligro de un ataque cardíaco siempre que iba de visita. Su hija mayor, Holly, que también era alta y tenía rasgos atractivos, a los dieciséis años había dejado atrás la adolescencia, convirtiéndola en un hosco enfurruñamiento. El joven salvavidas estaba enamorado, la gente podía ahogarse sin que él lo advirtiera. El otro hijo, Gerald, de quince años, era un muchacho fuerte y desmañado, que jugaba con la pelota en la piscina. Saludaron a Ted con la frase de los adolescentes.

—Qué tal.

—Billy tiene un aspecto maravilloso —dijo Sandy—. Pero usted está muy mal.

—Dame una oportunidad. Todavía no he probado la comida de mi madre. Puedo ponerme peor.

—¿Comida? No pienso cocinar —dijo Dora por encima del hombro, sin que se le moviera un cabello, mientras conversaba con amigos de la piscina—. No pienso cocinar para todos.

—Saldremos todos a cenar a costa de Ralph —anunció Harold.

—Ralph, no quiero que financies mi estancia aquí —dijo Ted.

—No te preocupes. Pago la mayor parte de las facturas.

—¿Cómo es posible?

—Es fácil.

Ralph se aproximó a uno de los amigos de Dora y Harold, un huesudo octogenario que tomaba el sol en una silla tijera.

—Señor Schlosser, quiero preguntarle una cosa. ¿Le interesaría una cadena distribuidora de bebidas en Chicago?

—¿Bromea? No tendría fuerzas para caminar hasta el almacén.

—Gracias. Ya ves, Ted..., todo esto pasa al informe. «Estudié la posibilidad de un reparto de bebidas con S. Schlosser, de Florida.» Este es un viaje de negocios.

—En nuestra familia hay cierto sentido del humor —dijo Ted a sus padres—. No siempre intencional, pero de todos modos existe.

—Así es mi Ralph, un importante ejecutivo del mundo de las bebidas —decía Dora un rato después—. Y ése es Ted, que vende ropas de hombre.

Billy jugaba con una pequeña barca en las aguas desbordadas de la piscina, pero cuando varios niños se zambulleron en la piscina y lo salpicaron regresó apresuradamente a la silla de Ted.

—Somos inseparables —dijo a Sandy con una mezcla de orgullo e irritación.

Ted había pedido una entrevista con la maestra de Billy antes del fin del período en el parvulario, y ella le había dicho que el niño se adaptaba bien.

—Parece un niño perfectamente normal. —Ted concentró la atención en el término «parece».

—¿No le ha visto ninguna clase de problemas?

—No —contestó ella.

—¿Y su timidez?

—Los niños son diferentes entre sí. Algunos padres creen que sus niños son muy agresivos. —Y ahora Billy estaba sobre las rodillas de Ted, y no podía decirse que fuera muy agresivo. Comprendió que tal vez lo vigilaba demasiado, pero el hecho era inevitable cuando el niño se le sentaba en las rodillas.

Esa noche durmió tres horas, Billy roncaba, el acondicionador de aire ronroneaba. A las once de la mañana siguiente, Billy descubrió que también él podía zambullirse en la piscina, siempre que Ted lo sostuviese antes de que se hundiera. Después de media hora de este ejercicio, Ted estaba tan agotado que le temblaban las manos. Entre Billy y otros niños hubo varias peleas por los juguetes. Un niño le quitó la barca, y Ted intervino con la diplomacia aprendida en el parque; no podía soportar que su hijo llorase tan amargamente a causa de la pérdida.

—¡Si es tuya, defiéndela! —le gritó.

—No tienes derecho a gritarme —protestó Billy, el rostro bañado en lágrimas.

Después de negociar en Nueva York con espacios de publicidad de las revistas, había ido a Florida a negociar barcos de juguete, y no lo hacía muy bien. Sandy, que había estado observando la escena, dijo a Holly que llevase a Billy a los columpios cercanos.

—Así tendrá diez minutos libres.

—Gracias, Sandy.

—No me gusta la situación. Estuve hablando con Ralph... y creo que usted necesita distraerse un poco. El chico también, a veces, los padres y los hijos necesitan separarse un poco.

—Estás muy tenso —dijo Ralph.

—Le propongo lo siguiente, y no me diga que no. Iremos a Disneylandia y llevaremos a Billy. Usted puede hacer lo que crea más conveniente. Quedarse aquí, ir a Miami, descansar en un hotel. Lo cuidaremos bien, y los dos mejorarán.

—No sé muy bien qué hacer. Lo pensaré.

Ciertas erecciones involuntarias apresuraron la decisión. En su traje de baño de nylon, con Billy moviéndose sobre los muslos del padre, Ted tenía erecciones involuntarias. Era incómodo y embarazoso, y cuando Billy quiso instalarse otra vez sobre las rodillas de Ted, y las consecuencias fueron las mismas, Ted experimentó un abrumador deseo de liberarse de las erecciones involuntarias. Que Billy se sentara un rato en las rodillas del Ratón Mickey.

Cuando Ted informó a Billy que iría a Disneylandia con el resto de la familia, y que el propio Ted pasaría unos días sólo, el niño se sintió traicionado.

—Teníamos que ir juntos.

—Pasamos mucho tiempo juntos.

—No quiero ir.

—¿A Disneylandia?

—¿La verdadera?

Era como jugar con naipes marcados. Billy no pudo resistir la tentación. La familia se acomodó en un remolque para recorrer el trayecto en dirección Norte, y Dora trató de suavizar la situación regalando a Billy un paquete grande de caramelos rellenos pardos y rojos.

—No te preocupes. Lo cuidaremos bien —gritó Dora—. Cómete los caramelos. —Billy le dirigió un triste gesto de despedida desde la ventanilla, la primera vez que el padre y el hijo se separaban.

Pensaban pasar tres días en Disneylandia. Ted podía reunirse con ellos al regreso, o continuar solo el resto de la semana, porque Sandy se quedaba. También podía seguir por su cuenta la semana siguiente, pero eso significaba que Billy estaría exclusivamente a cargo de los padres de Ted, y éste no tenía muchos deseos de dejarlo tanto tiempo en un universo de caramelos y golosinas. Harold no era precisamente el doctor Lee Salk. Durante una discusión al lado de la piscina, a propósito de cierto juguete, mientras Ted se esforzaba por encontrar la solución, Harold dijo:

—Dile que dé al otro un golpe en el vientre. Así entenderá. Tienes que enseñar al chico a usar los puños.

Pero se sentía libre. Ya no recordaba la última vez que había sentido tanta libertad. Podía tener una erección voluntaria, dormir hasta las 10 de la mañana. Tener un asunto con la viuda Gratz, una mujer de aire juvenil, que quizá aún no tenía cincuenta años, por lo que parecía; la mujer más atractiva de la piscina, una figura todavía esbelta y sugestiva, si uno olvidaba la peluca que tenía sobre la cabeza. Se había sorprendido mirando a la viuda Gratz, pero, por supuesto, si sus padres llegaban a enterarse de su escapada no ahorrarían comentarios. «¿Realmente es posible?» De todos modos, tenía libertad incluso para alimentar esos pensamientos.

Decidió salir de Fort Lauderdale, es decir, de la región de Miami. En Nueva York había visto una serie de anuncios acerca de un nuevo hotel de descanso en la costa occidental de Florida; se llamaba The Shells y el sistema era semejante al que regía en el Club Mediterráneo, es decir un precio único. El sitio parecía atractivo, y estaba en Sarasota, a corta distancia en avión. Tendría que dejar a la viuda Gratz al cuidado del señor Scholosser. Telefoneó al hotel y reservó habitación hasta el domingo por la mañana. El primer vuelo salía por la tarde temprano y Ted abandonó Fort Lauderdale con mucho menos equipaje que al llegar.

The Shells era una instalación moderna sobre la playa, una serie de cuartos sucesivos, al estilo de un motel, frente al mar, con una terraza comedor y bar a cubierto, y una piscina. Lo llevaron al comedor, donde estaban sirviendo la comida al estilo de un buffet, y comprendió inmediatamente que The Shells estaba recién pintado, y que casi las dos terceras partes del local se hallaban vacías. La gente distribuida en el comedor parecía provenir de una convención de pilotos de compañía aérea, en vista de la uniforme pulcritud de todos Ocupó un asiento frente a una mesa de ocho personas, cinco hombres de aspecto saludable, y consiguió sentirse simultáneamente demasiado viejo y demasiado joven.

Supo que The Shells se había convertido en lugar de descanso de los empleados locales de la Delta y la Eastern, y que los hombres sentados a la mesa que parecían pilotos eran pilotos. Como había llegado en martes, estaba fuera del sistema, pues, al parecer, en el grupo ya se habían concertado varias relaciones. La discoteca abría a las 22.30 de la noche. Ignoraba si lograría permanecer despierto hasta esa hora. Bebió una copa en el bar y recibió la presencia de otro sector demográfico entre los huéspedes, neoyorquinos, más o menos una docena de personas, de estatura más baja, más robustos y más tensos que el sector aéreo, todos agrupados para darse calor. No deseaba hablar de Nueva York. Cuando vio que había pocas personas en la discoteca, la mayoría parejas, regresó a su cuarto, con la esperanza de dormir hasta mediodía. Su mecanismo interno creado por cinco años de Billy lo despertó a las 7.15.

Tomó el desayuno en un comedor vacío y después bajó a la playa, espectacular a la luz matutina. Disneylandia se ocupaba de Billy. Nadie tironeaba de la mano de Ted. Nadie le pedía cosas. Era responsable sólo de sí mismo. Corrió hacia el agua y nadó un rato en serena soledad. Cuando salió, permaneció en la playa sintiendo el goce de su propia libertad y lanzó un ¡a-a-h-a-a-h-a-h! al estilo de Johnny Weissmuller, aterrorizando a una bandada de pajaritos posados en los árboles; las aves nunca habían visto una película de la selva, de modo que se alejaron en dirección a Miami.

Durante su estancia nunca mencionó a Billy. A veces, cuando la conversación tomaba un sesgo personal, decía que era divorciado. No deseaba que nadie supiera más, nada de conversaciones complicadas, ni explicaciones, ni Billy. En la superficie, el sistema funcionaba bien. Pero seguía pensando en Billy. Varias veces quiso llamar, comprobar que estaba bien, conversar con el niño. Pero evitó hacerlo. Había dejado un número. En caso de urgencia, podían llamarlo.

Varios pilotos organizaron encuentros de balónvolea en la playa, y Ted, de Fire Island, adquirió una respetabilidad instantánea. Se convirtió en «Ted, muchacho» para Bill, Rod y Don; y en «querido Ted» para Mary Jo, Betty Anne y Dolly Lee, en los encuentros mixtos. Los días se sucedieron indistintos. Nadaba, jugaba a balón-volea, comía, nadaba. Las noches se centraban en Dolly Lee, una despierta joven de veinticuatro años originaria de Jacksonville, que nunca había estado al norte de Washington, y que trabajaba en la línea Atlanta-Miami de azafata. Hacían el amor en el cuarto de Ted, y después ella volvía a su habitación a dormir, porque la compartía con Betty Anne y no quería crearse mala fama. Después, Ted tendría dificultades para recordar detalles concretos de sus conversaciones. Charlaban de cosas inmediatas y casuales, qué bonito era el día, cómo se había divertido jugando al balón-volea, qué buena la cena. Hablaban muy poco de sus respectivas profesiones. El nada dijo de Billy. La mañana del sábado, cuando ella se disponía a regresar a su empleo, agradeció la ayuda de Ted, que le había permitido tener unas vacaciones maravillosas, y él hizo lo propio. Cambiaron números telefónicos, y dijeron que se llamarían si uno de ellos visitaba la ciudad del otro, y de ese modo terminaron una relación de vacaciones, casi perfecta en su limitación.

El domingo Ted regresó a Fort Lauderdale. Descendió de un taxi frente al complejo y caminó hacia la piscina. Sandy fue la primera en verlo y lo saludó con un movimiento de la mano. Billy apareció detrás de una tumbona y echó a correr. Corría a toda la velocidad de sus piernas, con su ritmo todavía irregular, gritando: «¡Papá! ¡Papá!» sobre el largo sendero que arrancaba de la piscina, y cuando llegó saltó a los brazos de su padre.

Mientras el niño explicaba que había estrechado la mano del Ratón Mickey, y Ted volvía con él hacia donde estaba el resto de la familia, comprendió que pese a toda su necesidad de alejarse, de estar solo de sacárselo de encima, a pesar de todo, lo había extrañado mucho.

CATORCE

Estaba en una clase de treinta y dos niños, y ya no era el único Billy en su universo inmediato, y eso el propio Billy debía comprenderlo, lo mismo que las dos niñas llamadas Samantha. Ted fue con Billy a la escuela el primer día, y la entrada del edificio estaba atestada de niños que se atropellaban, saltaban y corrían. Los padres estaban desplazados con sus advertencias: «Bueno, bueno, basta», pero en general no se les hacía caso. Billy se mostraba cauteloso, y Ted subió con él la escalera que llevaba a la guardería, en el Aula 101; le pareció que en algún lugar de su propia vida había un Aula 101. Ted permaneció allí unos minutos y después se marchó.

—La señora Willewska vendrá a buscarte. Hasta luego, muchacho. —Billy se había incorporado al sistema. Al margen de los sentimientos de Ted acerca de la separación y el correr del tiempo, experimentaba un sentido de realización, había ayudado a Billy hasta ese punto. Se parecía a los demás niños. Nadie podría distinguirlos.

Thelma tenía una pobre opinión de la vida social que Ted hacía aquel otoño.

—Estás retrayéndote. Ahora ya no sales.

—Tengo seis números telefónicos, una chica a quien puedo ver si alguna vez viajo a Atlanta o Miami, y le eché el ojo a una de las madres de la clase de Billy que se parece a Audrey Hepburn en *Vacaciones en Roma*, y no lleva anillo de casada.

—Mientras te conserves sano. Es bueno para...

—¿Para qué, Thelma?

—No sé. Mi madre siempre lo decía. Supongo que bueno para la circulación.

Una mañana abordó a la madre de Samantha G. y le preguntó si tenía tiempo para tomar una taza de café. Fueron a un bar cercano, donde comenzaron hablando de los niños, y ella le informó que estaba divorciada, pero que salía con una persona; tal vez las respectivas cuidadoras podrían reunir a los niños. De modo que su Audrey Hepburn había aceptado el café para que su hija tuviese con quien jugar. Ted comprendió. También los niños necesitaban hacer vida social.

Se incorporó a la asociación de padres de la escuela, porque era un padre responsable, y aceptó trabajar en la comisión de comunicaciones, lo que significó que tuvo que pedir al departamento de arte de su compañía que preparase un folleto que debía utilizarse en la Semana Escolar. En una reunión celebrada en un aula, Ted Kramer ocupaba una minúscula silla bajo una lámina ilustrada que decía: «Nuestras amigas, las estaciones.» La maestra de Billy era cierta señora Pierce, una joven ataviada con un vestido de estilo indio. En la mente de Ted provocaba fantasías que incluían a sus antiguas maestras, desde la señora Garret hasta la señora Bienstock, y hubiera deseado apoderarse de la señora Pierce y magrearla en los vestuarios, entre el olor del vapor despedido por el radiador y los chanclos húmedos.

En la compañía de Ted comenzaron a circular rumores. Decíase que los directores estaban insatisfechos con las ganancias de la industria norteamericana de las revistas. De acuerdo con el rumor, el director había dicho a alguien que quizá suspendieran las publicaciones en el curso del mes. Ted estaba furioso. Era imposible que volviese a perder el empleo. Le irritaba profundamente la escasa influencia que ejercía sobre un asunto tan fundamental como sus propios medios de vida. Había trabajado mucho y eficazmente y a la sazón corría el peligro de verse otra vez en la calle, afrontando la misma situación desesperada.

Jim O'Connor hizo una llamada telefónica al presidente del consejo de administración, en Caracas. A la mañana siguiente llegó un cable, que afectaba a la compañía interina y exteriormente, que afirmaba que no había planes respecto de la suspensión de las publicaciones. Pero los anunciadores habían oído los rumores y se mostraban prudentes. Algunos anularon su programa. Como la dirección había indicado su propósito de continuar, Ted y O'Connor trataron de restablecer la confianza de los clientes. Ted se proponía salvar a la empresa y su empleo mediante un acto de voluntad. Mientras O'Connor llamaba a sus contactos, Ted comenzó a realizar el mayor número posible de visitas, redactó el texto de una nueva presentación de ventas, logró se completase un estudio de investigación de mercado, escribió una presentación de ventas basada en resultados de la encuesta, e incluso ideó un desfile de modas masculino por la Avenida Madison para demostrar que estaban en plena actividad. Durante tres semanas trabajó día y noche, y paulatinamente fue posible superar parte de los efectos negativos, y comenzaron a llegar nuevas órdenes. Ted había ayudado a superar una crisis. La firma continuaba funcionando, y él tendría empleo por un tiempo. Lo que no tenía era claridad acerca del modo de resolver sus problemas de supervivencia. Bien podía ocurrir que de nuevo se quedase sin trabajo, y su saldo bancario no superaba los 1.200 dólares. En un artículo publicado en *The New York Times* se calculaba que para criar un niño en la ciudad de Nueva York, hasta los dieciocho años, se necesitaban 85.000 dólares y en el cálculo ni siquiera se incluía el costo de una cuidadora.

Entretanto, su amigo Larry prosperaba. El y Ellen compraron una casa en Fire Island.

—¿Cómo pudiste hacerlo, Larry?

—Bueno, me fue bien en la oficina. Y no olvides que tenemos dos sueldos.

Dos sueldos, el número mágico. Había comenzado a salir con una persona que tenía ingresos propios, diseñadora en un estudio de arte. Vivian Fraser era una atractiva mujer de treinta y un años, serena y refinada, a quien calculaba unos 20.000 dólares anuales. Probablemente se hubiera desalentado de haber sabido que pese al cuidado que ponía en mejorar su apariencia, por lo menos un hombre le atribuía el aire de persona... solvente.

También la incorporó, sin que ella lo advirtiese, a un programa de adivinanzas: ¿Qué clase de Mami Puede Ser? Le intrigaba el hecho de que una fuerza externa pudiese aportar a la casa estabilidad emocional y responsabilidad económica. Pero quien entrase en la casa acabaría en su dormitorio, y cualquier cosa, desde el deseo de beber zumo de manzanas a una pesadilla, podía determinar que el detective doméstico se metiese en el cuarto con su gente, y Ted no podía tener la certeza de que su propia gente fuera a llevarse bien con la gente de Billy; ni siquiera conocía el modo de evitar estos problemas.

Después que Billy y Vivian tuvieron un breve encuentro cierta tarde, Ted preguntó a Billy:

—¿Te gusta Vivian? —aunque bien sabía que la pregunta carecía de sentido, porque lo que realmente deseaba oír era esta respuesta: «Oh, sí, una excelente mujer. Creo que puedo vincularme a ella en un plano personal, y como tú sabes una especialista en arte comercial siempre puede acrecentar nuestros ingresos, además de los beneficios de su presencia emocional.»

—Ajá —dijo el niño.

Larry y Ellen invitaron a Ted y Billy a ir a Fire Island, para ver la nueva casa y pasar el fin de semana. También invitaron a otra pareja, con su hija de diez años. Los niños jugaban en la playa, los adultos bebían champaña. Ted estaba tranquilo, excepto que sentía cierta añoranza. Le hubiese gustado mucho tener en la playa una casa lujosa como aquélla y el automóvil para salir los fines de semana, y las vacaciones invernales en una zona de buen tiempo, y los restantes lujos que ellos nunca tendrían... 85.000 dólares hasta los dieciocho años, y el suyo era el único ingreso. Si saliendo de uno de los cuentos de Billy apareciera un Hada Buena en el porche de la casa, la cabeza cubierta por una capucha, y dijera: «¿Qué puede concederte?», él contestaría: «Reservas suficientes para seis meses.»

El tiempo en la ciudad comenzó a empeorar. La actividad al aire libre los fines de semana era cada vez más limitada, y los padres tendrían que echar mano de sus recursos personales y los museos. Ted aceptó la reponsabilidad de recibir un sábado en su casa a tres de los amigos de Billy —Kim y dos condiscípulos de aquél— que irían a almorzar y a pasar la tarde. El niño tenía amigos y más tarde los padres de éstos retribuirían la invitación. Fue el árbitro de algunas disputas, pero en general se quedó leyendo en el dormitorio, luchando contra la tentación de verificar si Billy sabía hacer frente a los demás. Todos parecían satisfechos. Librados a sus propios recursos jugaron a los disfraces y al escondite, y se turnaron en el papel de Ogro Devorador de Niños.

Los oyó charlar, suponía que amistosamente. Durante varias horas tuvo en su departamento a un grupo de niños. Cuando aparecieron las madres para reclamar sus paquetes de 85.000 dólares hasta los dieciocho años, Ted los entregó intactos, complacido consigo mismo por el modo en que había administrado el día.

—¡Ahora presentamos al fantástico Superavión a chorro —anunció Billy desde su cuarto— con el secreto de la fantástica velocidad!

Un rato antes, Ted había oído a los niños que comentaban la construcción de un avión de Billy, y al parecer habían desarmado el juguete de metal para realizar un experimento científico.

—¡Helo aquí! —Billy se abalanzó fuera de la habitación, haciendo volar su aeroplano y produciendo ruidos con la boca, mientras sostenía en la mano el destartalado artefacto. Cuando llegó a la puerta, tropezó en el umbral y cayó hacia adelante. Ted estaba en el vestíbulo, a pocos pasos de distancia, y lo vio llegar disparado, como en una sucesión de hechos que él no podía detener, el cuerpo lanzado hacia adelante, la caída, el golpe, el codo que golpeaba en el suelo y luego se alzaba, el trozo de metal en la mano, —¡Papá!— el metal como una hoja de afeitar. Cortó la piel del niño en la mejilla y desde el pómulo subió hasta la raya de los cabellos, y la sangre empezó a correr hacia los ojos de Billy y a cubrirle la cara. Durante un instante, Ted quedó como helado. Lo veía, pero no podía haberlo visto.

—¡Papá, tengo sangre! —exclamó el niño, y Ted se lanzó sobre él, abrazándolo, alzándolo, agitando toallas.

—Tranquilo, pequeño, tranquilo —combatiendo la sensación de que iba a desmayarse, acunándolo; hielo, necesitaba hielo, es bueno para las heridas, palmeándole la cabeza y besándolo, manchando de sangre el hielo y las toallas, su propia camisa cubierta de sangre. No te desmayes, creo que voy a desmayarme, revisándole el cuerpo tratando de ver la herida a través de la sangre.

—Ya no sangra, Billy. En seguida estarás bien. —Y corrió a la calle y llamó un taxi, ordenó los llevasen al hospital, y acariciaba al niño que sollozaba y lo abrazaba con fuerza.

En la sala de guardia estaban ocupados con el brazo roto de un adolescente y una anciana que se había caído, pero Billy tenía paciencia, según les informó el enfermero, «porque necesitaba del cirujano». ¿Cirujano? Había dejado de sangrar muy pronto, después de todo no podía ser tan grave. Había llevado a Billy al hospital donde su pediatra tenía el consultorio, y pidió al enfermero que comprobase si el doctor estaba en el edificio. Billy ya no lloraba, y vigilaba todos los movimientos de la gente, no fuese que volviese a ocurrirle algo terrible.

Se necesitaron diez puntos para cerrar la herida, una línea desde el pómulo, casi paralela a la sien. El cirujano aplicó un vendaje a la cabeza y dijo a Billy: «No te golpees la cabeza contra la pared, muchacho. Y nada de ducharse, ¿entendido?»

—Está bien —dijo Billy en voz baja, atemorizado.

El pediatra casualmente estaba en su consultorio y acudió a la sala de guardia. Regaló un caramelo a Billy, para premiar su valor, y después Ted dijo a Billy que lo esperase un momento fuera de la sala.

—Tuvo suerte. Estaba aquí nuestro mejor cirujano —dijo el pediatra.

—¿Cree que quedará una cicatriz muy visible...? —preguntó Ted en un murmullo.

—Siempre que se abre la piel puede quedar cicatriz —respondió el cirujano.

—Comprendo.

—Hice lo posible..., pero, en efecto, quedará cicatriz.

—Recuerde esto, señor Kramer —observó el pediatra—. Es un niño de suerte. Un par de centímetros más y hubiera perdido el ojo.

Esa noche, Billy se limitó a mordisquear su hamburguesa. Ted cenó un whisky doble con hielo. Practicaron los ritos normales de la noche, la hora de cepillarse los dientes, el cuento para dormir... ambos procuraban crear una normalidad que neutralizara el hecho. Ted lo acostó temprano y el niño no protestó, agotado por la tensión.

Yo estaba tan cerca. Si lo hubiese sostenido.

Ted se dedicó a limpiar las manchas de sangre. Recogió las ropas de Billy, que había dejado a un lado con la camisa y las toallas, y arrojó todo al incinerador. No podía verlas. A las once de la noche, mientras trataba de ver el noticiario y rememoraba la escena, se puso de pie y vomitó whisky y bilis en el lavabo.

No podía dormir. En la habitación contigua, Billy tenía un sueño inquieto y gemía. Ted se acercó y se sentó en el suelo, al lado de la cama.

Una cicatriz para toda la vida. Una cicatriz para toda la vida. Se lo repetía como si las palabras «toda la vida» tuviesen un sentido especial. Comenzó a rememorar la caída; si él hubiese entrado antes en el cuarto, si hubiese visto el juguete y previsto lo que Billy se proponía hacer, si hubiese estado más cerca para sujetarlo, si no hubiera planeado un día así, estaba muy cansado, quizá no se hubiese caído...

Permaneció sentado, despierto, rememorando. ¿Cómo había terminado en esto... con el niño tan pegado a él? Al principio, cuando Joanna quedó embarazada parecía que el bebé no tenía que ver con Ted; y ahora estaba conectado a su sistema nervioso. Ted sentía tan agudamente el dolor de la herida que su cuerpo casi no lo absorbía. ¿Podía hablarse de un momento crucial, un momento en que su vida hubiera sido distinta? ¿Si se hubiera quedado con otra? ¿Quiénes eran esas otras? ¿Quién habría sido él mismo? ¿Cómo habría sido su propio hijo? ¿Habría tenido más de un hijo? ¿Ninguno? ¿Y si no hubiera ido a aquella fiesta en la casa de la playa aquella noche? ¿Si no hubiera dicho precisamente lo que dijo al hombre que estaba con Joanna? ¿Y si no la hubiese llamado? ¿Con quién estaría ahora? ¿Habría sido distinta su vida? ¿Mejor? ¿Habría sido más feliz si todo hubiese sido distinto? En ese caso, Billy no habría existido. ¿Se hubiese sentido mejor de no existir Billy? El niño gemía en sueños y él sintió deseos de alzarlo en brazos y conseguir que durmiese más tranquilo, cosa que no estaba a su alcance.

Llegó a la conclusión de que no había existido ningún momento crucial que pudiese haber determinado que todo fuese diferente o mejor. Las cosas no son tan sencillas. Y hay accidentes. Billy, Billy, te habría sostenido de haber podido.

Después de retenerlo en casa unos días, Ted dejó salir a Billy, que llevaba su vendaje blanco como un símbolo de coraje.

—¿Te pusieron diez puntos? —dijo Kim, sobrecogida.

—Se está cerrando bien —dictaminó el cirujano. Le había quedado una raya de unos diez centímetros de longitud en el lado derecho de la cara; no perjudicaba la apariencia del niño, pero era una cicatriz. La herida de Ted curó lentamente. A veces pensaba en la caída. El episodio de tanto en tanto fulguraba en su conciencia, y él se estremecía, era como una cuchillada en las entrañas. Para obtener cierta catarsis, relató el accidente a algunos de sus conocidos, subrayando el aspecto positivo.

—Tuvo una suerte enorme. Pudo haber perdido un ojo.

Ya llegaría el momento de hablar con los abuelos.

Ted estaba en el zoológico con Charlie, y los niños paseaban en un carrito arrastrado por un pony.

—Es lo mismo que ocurre con los dientes —dijo Charlie—. Una persona se parte un diente y cree que todo el mundo le mira. O tiene un puente de plata al fondo de la boca y se le ocurre que todos pueden verlo.

—¿Tú habrías visto la cicatriz? Dime la verdad.

—Quizá no. Quizá sólo si tú me lo dijeras.

—Yo la veo. A veces la veo incluso con los ojos cerrados.

—Papi, un chico de la escuela me dijo que su hermano le contó que a un jugador de hockey le dieron veinte puntos.

—El hockey es a veces un juego violento. Y se lastiman.

—¿Me comprarás un palo de hockey?

—No sé. Es para chicos mayores.

—No jugaré sobre el hielo. Solamente en casa.

—Bum-bum Kramer, el gran jugador.

—¿Qué es eso, papi?

—Bum-bum Geoffridom... fue un jugador de hockey. Cuando seas un poco mayor te compraré un palo de hockey, si todavía lo deseas.

—¿Cuántos años hay que tener para no dormir más con el osito y la gente?

—No hay una edad fija. Cuando quieras, los dejas.

—Creo que ya soy bastante grande. Me parece que trataré de no dormir con ellos.

—Si eso deseas...

—Bueno, pueden quedarse en mi cuarto. Como si fueran estatuas. Y seguiré jugando con ellos durante el día. Pero pueden quedarse en el estante, con los libros, y mirarme mientras duermo.

—¿Cuándo quieres hacerlo?

—Esta noche.

—¿Esta noche?

La noche que su hijo renunció al osito, el padre lo sintió más que el niño. A la mañana siguiente Billy estaba muy orgulloso, porque había dormido toda la noche sin las defensas del bebé. Estaba pasando por una serie de crisis. Esos días vivía a toda velocidad, sin precaución. Cuando corría por la casa o en el campo de juegos, Ted se mostraba aprensivo: «Cuidado, Billy, no tengas tanta prisa.» La advertencia «no tan rápido» carecía de significado. Billy había olvidado la caída y los puntos. Tenía cinco años y estaba creciendo.

Pero la herida se prolongaba en Ted. Jamás olvidaría aquel momento. El pedazo de metal como una navaja que abría la cara del niño. La sangre. Y el fin del autoengaño: que su hijo era perfecto, que aquel bello rostro no tendría cicatrices, que el niño no tendría cicatrices. Aquel niño al que tanto amaba era imperfecto, perecedero. Y podía volver a lastimarse. Podía morir Ted Kramer había concebido un mundo seguro y dominado para su hijo. La herida era un testimonio. No podía ejercer un dominio semejante.

QUINCE

Ted Kramer regresó a la oficina después de encontrarse con un cliente y le transmitieron los mensajes telefónicos. Joanna Kramer había llamado. Pedía que él la llamase y había dejado un número local. Su día de trabajo terminó tan pronto le informaron de la llamada.

—Aquí, Ted.

—Hola, Ted. ¿Cómo estás? —dijo ella con voz cálida—. Cambiaste de empresa, ¿verdad?

—Sí, es otra firma. ¿Cómo conseguiste el número?

—Por tu empleada.

—¿Fuiste a mi casa?

—No vi a Billy, si eso te preocupa. Fui cuando él estaba en la escuela.

—Sí, está en la escuela.

—Ya lo sé.

—Joanna, ¿quieres decirme qué deseas? Estoy muy ocupado.

—Bueno, vine a Nueva York y quiero hablar contigo. Pero no creo que debamos hablar por teléfono. ¿Podemos ir a beber algo?

—¿De qué se trata?

—¿Cuándo podemos vernos?

Podía flirtear con ella por teléfono, rechazarla, cortar la comunicación, pero así como su día de trabajo había concluido cuando ella llamó, no soportaba la idea de ignorar un minuto más la razón por la cual quería hablarle.

—Quizá sea mejor que nos veamos hoy.

—Muy bien. Hay un lugar nuevo..., Slattery, en la calle Cuarenta y Cuatro.

—Está bien.

—Nos vemos a las seis, ¿quieres?

—Está bien.

—Ted, me alegro de volver a hablar contigo.

—¿Sí? ¿Por qué?

Arregló los papeles que estaban sobre el escritorio, llamó a Etta y le pidió que se quedara, examinó algunos documentos comerciales y salió de la oficina a las cinco. En el trayecto se detuvo en un bar y tomó un trago, preparándose para otro trago.

Slattery era un bar poco espacioso con varias mesas en la parte trasera. Ted pasó frente al mostrador y se dirigió al fondo. Joanna esperaba sentada frente a una mesa. No estaba bronceada, como la última vez que la había visto. Vestía suéter y falda y podía haber sido cualquiera de las empleadas que ocupaban el salón, de no ser por el hecho de que era la mujer más bonita del local.

—Hola, Ted. Tienes buen aspecto.

—Tú también.

Pidieron martinis con vodka al camarero y Ted ocupó una silla; dejó que ella hablase primero. Parecía nerviosa.

—¿Cómo te va en tu nuevo empleo?

—Muy bien.

—Me alegro.

Estaba seguro de que ella quería algo.

Una pareja ocupó una mesa cercana.

—Mira lo que parecemos, Joanna. Un matrimonio veterano que sale a tomar una copa. ¿Quién lo creería?

—Bien, seguramente quieres saber por qué te llamé —Joanna sonrió, pero él no respondió, tensos los músculos del cuello—. Ted, hace dos meses que vivo en Nueva York.

—¿De veras?

—Tengo un apartamento en la calle Treinta y Tres Este...

—Qué cosas. ¿De modo que vives aquí?

Se la veía indecisa con la mano dándole al vaso. ¿Se trataba de una propuesta? Ted se preguntó si ella intentaría una reconciliación. La vez anterior ciertamente no había sido su intención, pero había transcurrido casi un año.

—Las cosas cambian. Trabajo en el Club Central de Tenis. Digamos que soy instructora. Y mi trabajo me deja un poco de tiempo libre.

—Me parece que has hecho sufrir a mucha gente para tener un poco de tiempo libre.

—Sin duda ésa es tu opinión. ¿Cómo está Billy?

—Muy bien... excepto... que se cayó... —Tenía que decírselo, casi como una confesión—. Y se lastimó la cara. Ahora tiene una cicatriz, desde aquí más o menos hasta aquí.

—Vaya.

—Felizmente no fue peor.

Los dos callaron; nunca habían estado tan cerca desde el día en que dejaron de compartir sentimientos.

—Ted, desde cierta distancia no se ve.

—¿Qué?

—Lo he visto.

—¿De veras?

—Algunas veces me he sentado en un automóvil estacionado, frente a la escuela, y te he visto acompañarlo.

—¿En serio?

—Es un hermoso niño.

—¿Sentada en un automóvil?

—Mirando a mi hijo...

La voz se convirtió en un murmullo. La soledad de la escena, Joanna en un automóvil al otro lado de la calle, impresionó a Ted y lo indujo a menear la cabeza.

—No podía hacer más. Estuve pensando, tratando de decidirme.

¡De modo que quería reconciliarse! Por eso se mostraba tan cordial.

—Ted... quiero recuperar a Billy. Podemos hacer un arreglo para que lo veas los fines de semana, pero quiero la custodia.

—¿Quieres *recuperarlo?*

—Ahora resido aquí, en Nueva York. Viviré en Nueva York con él. No sería justo que os separaseis.

—¿Estás bromeando?

—Quiero a mi hijo. No pienso seguir mirándolo desde un automóvil, del otro lado de la calle.

—Seguramente bromeas.

—De ningún modo.

—¡El tiempo que le he dedicado! ¡Todo lo que pasé! ¿Y ahora quieres *recuperarlo?*

Estaba levantando la voz.

—¡Podemos discutir esto con tranquilidad!

La gente había comenzado a mirarlos, mientras la pareja «parecida a cualquier otra» se incorporaba a una categoría especial.

—¿Y ahora que al fin estoy organizándome... ahora quieres quitármelo?

—No quiero perjudicarte. Seguirás viéndolo. Los fines de semana. Ted, lo verás. Eres el padre...

—¿Y tú quién eres?

—Su madre. Aún soy su madre. Nunca renuncié a eso. No puedes impedirlo.

—Joanna, ¡vete a que te den por el culo!

—Ted, trato de ser franca contigo. Puedo lograr lo que quiero usando otros medios.

—Hablo en serio. Tal vez lo que te digo no sea muy racional, pero es lo que pienso. ¡Anda y que te den por culo!

—Ted, hay tribunales. Puedo recurrir a ellos...

—No deseo discutir el asunto. Sólo quiero saber una cosa: ¿Quién paga estas bebidas?

—¿De qué hablas?

—¿Quién paga esta cuenta? ¿Yo? ¿Quieres atraparme otra vez? Me invitas a beber una copa... a escuchar lo que *tú* deseas... ¿Y yo tengo que pagar?

—Quién paga esto no tiene importancia. Yo pagaré.

—Sí. De acuerdo. Tú pagarás. ¡Camarero!

El camarero estaba a corta distancia, porque se había acercado para oír la sabrosa escena de la mesa 3.

—Quiero otra copa. ¡Whisky doble!

—Sí, señor.

—Tú pagas. Yo bebo.

—Ted, sólo sabes cabrearte...

—¿Puedo pedir algo más? ¿Un bocadillo en el mostrador? ¿También pagas eso, o sólo las copas?

—Puedes pedir lo que desees.

—Gastas mucho.

—Ted, quiero hacerlo. Tuve tiempo de pensar. He cambiado. He aprendido ciertas cosas de mí misma.

—¿Qué aprendiste? Realmente me interesa saberlo.

—No son cosas tan concretas.

—Una cosa. Dime una cosa *que yo haya* pagado... y *tú hayas* aprendido.

—Que nunca debí casarme contigo.

Lo dijo en voz baja, sin especial crueldad en la voz, como quien enuncia un hecho tanto para sí mismo como para el otro.

Ted se sintió tan abrumado por el carácter definitivo de los sentimientos de Joanna que su cólera se extinguió momentáneamente. Apareció el camarero con la bebida, y la depositó frente a Ted, que permaneció inmóvil mirando la copa.

—Cárguelo en la cuenta de la señora —dijo—. Ella paga —y se puso de pie y salió del bar, dejándola allí.

Reprendió a Billy a causa de una serie de infracciones sin importancia, y lo envió a la cama; no tenía paciencia para leerle un cuento, o para atender sus peticiones de zumo de manzana.

—Estás de malhumor.

—Tuve un mal día. Quisiera que el día terminara con la mayor rapidez posible. Me ayudarás si te acuestas *ahora.*

¡Quiere recobrarlo! Deseaba volver al bar, levantar la copa y arrojársela a la cara.

Sonó el teléfono y era Vivian, que quería hablarle de las entradas para el ballet; ella se había comprometido a conseguirlas, y durante un instante él no supo quién era o qué decía. No había conseguido las entradas, ¿podían ir al cine? Una película, el ballet, ¿qué importaba? No le preocupaba en lo más mínimo lo que podía hacer un viernes a las ocho de la noche.

—Muy bien, podemos ver una película. Maravilloso.

—¿Estás bien?

—No del todo.

—¿Qué pasa?

—Nada. Te lo explicaré dentro de unos días.

—¿Qué ocurre, Ted?

—Nada.

—Realmente...

—Mi ex esposa ha venido a Nueva York y quiere obtener la custodia de mi hijo.

—Oh...

Vivian probablemente se habría considerado satisfecha con «Tengo gripe», incluso «Estoy en buena compañía», pero el problema real sin duda era más grave que lo que ella había previsto.

—¿Qué piensas hacer?

—Ahora no lo sé.

—¿Puedo hacer algo *yo*?

—Sí, mátala por mí.

Se acercó al aparador y sacó la botella de coñac y una copa. Balanceó ésta en la mano, y de pronto la arrojó con toda su fuerza, rompiéndola contra la pared de la sala de estar; los vidrios se distribuyeron por toda la habitación. Jamás había hecho nada parecido. Durante un par de segundos se sintió bien, pero no demasiado bien. Antes de acostarse recogió los pedazos de vidrio y así tuvo algo en que ocuparse.

A la mañana siguiente, Joanna le telefoneó a la oficina, pero él no atendió la llamada. Volvió a telefonear por la tarde y tampoco contestó. Le dejó un mensaje por medio de la secretaria: «Diga al señor Kramer que no se ha resuelto nada.» Joanna había afirmado que había tribunales y que podía elevar una demanda. Ted comprendía que no hacer caso de las llamadas telefónicas no era una posición jurídica muy firme.

Fue a ver a John Shaunessy, el abogado. El abogado anotó los hechos que le parecieron fundamentales, comprobó algunas fechas; desde cuándo faltaba de la casa y la última vez que había estado en Nueva York.

—Ha realizado una serie de movimientos laterales —dijo, siempre atento al lenguaje del fútbol. Después, quiso saber exactamente qué había dicho Joanna y garabateó los datos en el papel.

—Muy bien, Ted, ¿qué desea saber?

—¿Cuáles son los aspectos legales?

—Habla como un abogado. No se trata de la ley. Lo que importa es lo que *usted* desea hacer. ¿Quiere retener al niño y vivir como lo ha hecho hasta ahora? ¿Quiere renunciar a su hijo y cambiar su modo de vida?

—En su voz se perciben ciertos juicios.

—De ningún modo. Ted, uno gana ganando. Pero usted tiene que saber si desea seguir el juego.

—Quiero a mi hijo. No quiero que ella lo tenga.

—Es una respuesta.

—No tiene derecho al niño.

—Ted, eso no es una respuesta. Como usted sabe, ella tiene razón. Hay tribunales, y hasta ahora ella se ha comportado de un modo muy responsable.

—¿Cómo puede afirmar eso?

—Desde el punto de vista táctico... sigue un plan. Sospecho que alguien la aconseja. No ha hecho movimientos apresurados, ni ha tratado de engañarlo. Se presentó, estableció aquí su residencia, en el mismo Estado que usted. Dijo que no deseaba separarlo del niño. Todo está muy calculado.

—¿Qué hago si vuelve a llamarme?

—Dígale que necesita un poco de tiempo. Probablemente no desea ir a juicio, a menos que sea indispensable.

—Bien, no pienso ceder a...

—Ted, tómese tiempo. En los problemas complejos suelo hacer algo que es muy útil. Anoto el pro y el contra de una solución. Escribo todo en un papel y medito el resultado. Se lo aconsejo.

—Sé lo que quiero.

—Hágame un favor. Prepare una lista de argumentos favorables y contrarios. Y después, si de veras está seguro de que desea conservar la custodia... Entonces sabré que eso es lo que usted quiere, y usted también lo sabrá e iremos al juicio decididos a derrotarlos.

Aunque tenía confianza en Shaunessy, Ted necesitaba asegurarse. Jim O'Connor había dicho a Ted que tenía un primo en el foro, de modo que Ted le pidió que realizase averiguaciones y le informara de lo que se decía acerca de la reputación de Shaunessy. Continuaba ignorando las llamadas de Joanna. Finalmente la llamó y le dijo que necesitaba tiempo para meditar «su petición», y eligió con cuidado las palabras, pues no sabía si ella anotaba todo lo que él decía y luego lo comunicaba a *su* abogado. Joanna preguntó si podía ver a Billy.

—No, Joanna. En este momento provocarías muchos problemas. No quiero.

—Magnífico. ¿Debo reclamar a los jueces y conseguir permiso para comprar una salchicha a mi hijo?

—Escucha, preciosa, yo no te puse en esa situación... Tú misma te pusiste. A propósito, ¿por qué sigues usando el apellido Kramer?

—Me gusta como suena. Por eso.

—Realmente, eres un espíritu amante de las cosas naturales.

Después de esta observación acre, cortó la comunicación. En eso terminaba la reconciliación que él había creado unilateralmente. O'Connor reveló que entre los abogados especializados en cuestiones de familia, John Shaunessy gozaba de mucho respeto. Ted desechó el problema de los abogados y trató de concentrar su atención en los restantes aspectos de su vida, hacer su trabajo, ser padre y amante..., aunque no hacía nada muy eficazmente. Fue a la cita con Vivian pero rehusó discutir el problema de Billy, pese a que ella le ofreció compartir su preocupación.

—Esta noche no —dijo él—. Ya he pensado demasiado en el asunto.

Fueron al cine y vieron una comedia y él presenció el espectáculo con la misma alegría que podía poner en una película de Ingmar Bergman. Después, en el departamento de Vivian, le hizo el amor con toda la pasión de un juguete de cuerda.

A la noche siguiente, en su casa y de madrugada, se despertó sobresaltado, transpirando. Se levantó y fue al cuarto de Billy. El niño dormía profundamente y por primera vez en la vida del pequeño, Ted lo despertó de un sueño profundo.

—Billy, Billy —dijo, sacudiéndolo. El niño lo miró con ojos somnolientos—. Billy, te quiero.

—Oh, papi, yo también te quiero. Buenas noches.

Y el niño se volvió y regresó a un sueño que en realidad no había abandonado, y del que por la mañana no guardaría ningún recuerdo.

—Buenas noches, Billy.

Charlie había pedido varias veces a Ted que conociera a su nueva «muchacha», como la llamaba. Había organizado un cóctel el domingo por la tarde y quería que Ted asistiese. En realidad, Ted no estaba de humor para soportar una reunión de Charlie, queso boloñés con galletas sin sal; por lo demás, no estaba de humor para casi nada. Billy estaba invitado a casa de un amigo durante la tarde y Ted podía ir a la reunión, consciente de que en las habitaciones encontraría a tantos dentistas amigos de Charlie que bien podía recibir el consejo de expertos si se le atascaba un pedazo de queso entre los dientes.

Charlie lo recibió con su atavío de seductor de jovencitas, un traje de colores vivos con pañuelo alrededor del cuello. Pasó con Ted al lado de los dentistas, que intentaban bailar fox-trots lentos con las jóvenes invitadas, rito de apareamiento que parecía fuera de lugar a las tres de la tarde de un domingo en un departamento excesivamente caluroso. En el bar, provisto por Charlie de vino blanco y un nuevo tipo de liverwurst y galletitas, le presentó a una mujer alta, de aire malhumorado.

—Es mi muchacha, Sondra Bentley... Ted Kramer.

—Charlie me habló de ti, Ted. Dijo que sois buenos amigos en el parque.

—Eso mismo. Los reyes del columpio.

Trató de contener una sonrisa: que el viejo Charlie se las hubiese ingeniado para encontrar una mujer tan sorprendente, sabiendo que implicaba una actitud superior en él mismo. Charlie se disculpó para atender la puerta, y como si le hubiera leído el pensamiento, Sondra explicó su propia situación.

—Charlie no es un individuo muy refinado. Pero es muy sincero.

—Sí, en efecto. Es un buen hombre.

Las mujeres parecían muy jóvenes, y abundaban los dentistas; Ted no deseaba conocer más detalles de la relación Sondra-Charlie, tal vez el secreto era que Charlie estaba realizando gratuitamente un costoso trabajo odontológico... por lo menos tal era su cínica sospecha. Se disculpó y fue al cuarto de baño, y como no tenía nada que hacer se lavó la cara. Salió, se apoyó contra una pared y contempló a las parejas que bailaban al compás de *En la madrugada,* aunque estaban en pleno día. Al lado de Ted se hallaba una mujer de aire sensual, con blusa de satén y pantalones; tendría algo más de treinta años, lo cual la convertía en una de las mujeres de más edad entre las que habían ido al departamento.

—¿A qué sector de la familia perteneces? —preguntó la mujer.

Ra-ta-tat-tat. Si sabía responder bien, habría de qué hablar durante la hora siguiente.

—Soy el padre del novio.

Un poco flojo, pero de todos modos ella rió.

—¿También eres dentista? —preguntó la mujer.

—No, soy paciente.

Y ella volvió a reírse.

Al fondo de la habitación, Sondra se había cogido del brazo de Charlie y le murmuraba intimidades al oído. Quizá fuera sincera. De todos modos, Charlie bien podía explorar a todas las Sondras de la ciudad, con o sin reparaciones dentales gratuitas, y bien podía organizar aquella reunión. Ted nunca había ofrecido un cóctel dominical, aunque tampoco lo creía deseable; pero de haberlo deseado, hubiera tenido que planearlo en relación con la presencia de su hijo. Disponía de una hora antes de pasar a buscar a Billy. Ted comenzó a sentir un fenómeno depresivo doble. Se sentía deprimido porque estaba en la fiesta y deprimido porque tenía que marcharse.

—Te preguntaba qué clase de paciente... ¿dental o mental?

—¿Dental o mental? Muy bueno. En realidad, vendo espacios de publicidad. Mira, dispongo sólo de una hora y no creo que podamos hacer mucho en una hora.

—¿Y después qué harás? ¿Eres drogadicto? ¿Tienes que pasear al perro?

—Eres una mujer hermosa, pero debo marcharme. Si lo que siento fuese una inundación, probablemente me declararían zona de emergencia.

Ella volvió a reírse, y él se sintió como si estuviera atado a una rueda de molino.

—A veces estoy muy deprimido —dijo con voz débil.

Se despidió de Charlie y Sondra y fue a buscar a Billy. No creía estar atado a su hijo más que cualquier otro padre separado, y en todo caso no más que Thelma. Pero sí más que cualquiera de los hombres que conocía, porque todos los varones divorciados que había encontrado sencillamente dejaban a los hijos en manos de las madres. Cuando llevó a Billy a casa, el niño sufrió una especie de colapso emocional a causa de la fatiga y de un resfriado que estaba incubando, y rehusó ingerir nada que no fuera un pedazo de torta: «Te hará bien. Es de huevo. Lo vi en la televisión.» Después se echó a llorar porque se había perdido un episodio de Batman tres días antes, y en definitiva se fue a dormir después de vomitar su medicina contra el constipado y escupirla sobre el pijama, sin prestar atención al hecho de que por consejo del abogado quizá estaban sometiéndolo a un atento examen. Ted no podía concebir que el problema de pleitear o no por la custodia del hijo se resolviese redactando una lista de argumentos favorables y contrarios; pero aparentemente su abogado creía que ese método le permitía aclarar la situación, de modo que tomó una libreta y un lápiz para ver adónde lo llevaba la lista en cuestión.

Menos libertad fue la primera razón que se le ocurrió para no retener a Billy. Circulaban por todas partes miles de hombres divorciados, los Charlies más o menos conscientes de las pocas horas que pasaban con los hijos el fin de semana, hombres que podían volver a casa apenas terminaban sus obligaciones para acostarse con quien se les antojase.

Dormir. Una anotación medio en serio medio en broma, ocupó el siguiente lugar. Sin Billy podía despedirse de la jornada de veinticuatro horas, levantarse a las nueve los domingos por la mañana y quizá incluso a las nueve y media.

Dinero. No cabía duda de que Joanna reclamaría alimentos para el niño. Pero probablemente trabajaba, y él pleitearía para evitar que lo obligasen a pagar el sueldo de una cuidadora. Suponía que cualquier arreglo en definitiva debía costarle menos que financiar la operación.

Vida social. Su vida social había sido poco grata, y en rigor no podría convertir a Billy en culpable de la situación. Ted sabía que mantenía relaciones difíciles con la gente. Y serían más difíciles si vivía con Billy, que se había convertido en una presencia constante.

Dependencia emocional. El y Thelma habían comentado el problema, que los padres que no tenían pareja y vivían con sus hijos los utilizaban como excusa para evitar los contactos sociales y vivir encerrados. Habían llegado a la conclusión de que cierto grado de dependencia era inevitable, sencillamente por el hecho de que vivían en apartamentos pequeños con otra persona. Pero Ted se preguntaba si esa dependencia había estado reflejándose en el apartado de *Vida social,* un género de actividad que no soportaba presiones de ese tipo.

Posibilidad de que Billy fuese mejor aceptado. Viviría con la madre, como solía ocurrir con los hijos de padres divorciados. El propio Ted no tendría que afrontar la responsabilidad de explicar la situación cuando el niño creciera. Podría parecerse más a otros chicos. El niño necesita una madre, había dicho Harriet, y la madre de Billy estaba al alcance de una llamada telefónica.

Cuando comenzó a anotar las razones que podían inducirlo a retener a Billy, las ideas no fluyeron tan fácilmente.

Beneficios profesionales, escribió, sólo porque tenía que empezar de algún modo. Ted creía que el hecho de verse obligado a cuidar de Billy había determinado que fuese un individuo más responsable y que realizara un trabajo más eficaz.

Trató de hallar otras razones y no las encontró. Estaba como bloqueado. No imaginaba otras razones para retener a Billy. No las había. Nada racional. Sólo sentimientos. Las horas que habían pasado juntos, las horas prolongadas, fatigosas e íntimas que los dos habían vivido. Cómo había tratado él de reconstruir una vida para ambos después de la partida de Joanna. Cómo juntos habían pasado por todo ello. Los momentos alegres. Los tiempos difíciles. La herida. La pizza. La parte de la vida de Ted que el niño ocupaba a su propio modo, tan especial.

Ahora él es parte de mi vida. Y yo lo quiero.

Ted tomó la lista y la estrujó en su mano. Luego se echó a llorar. Hacía tanto tiempo que no lloraba que le pareció extraño. Apenas podía recordar cómo se lloraba. Y no podía contenerse.

No dejaré que te lleven... No dejaré que te lleven... No te dejaré ir.

DIECISEIS

El abogado aconsejó a Ted que comenzara a anotar los nombres de las personas que podían atestiguar en un tribunal su integridad y su capacidad como padre. Debía informar su decisión a Joanna, y luego esperar y ver si en realidad presentaba una demanda judicial. Le tentaba la idea de huir. Evitar un conflicto y dejar que ella lo buscase, mientras él y Billy se alejaban en busca de una vida más sencilla, de regreso a la naturaleza. Pero Ted no tenía ninguna naturaleza a la cual regresar, excepto el parque Saint James, en el Bronx. Y él estaba atado a la ciudad. No podían vivir de bayas.

La llamó al Club Central de Tenis.

—Joanna, ¿puedes atenderme?

—Sí.

—Joanna, estoy decidido. Ni ahora ni en el futuro, ni en esta vida ni en cualquier otra permitiré que te lleves a Billy. Nada de lo que puedas decir o hacer me apartará de mi propósito. No te lo entregaré.

—Ted...

—No siempre hemos hablado el mismo idioma. Espero que ahora me entiendas bien.

—Ted, no fui una mala madre. Pero no podía afrontar la situación. Y ahora puedo.

—¿Teníamos que complacerte hasta que aclarases tus ideas? Mira que eres audaz. Vienes y vas, y...

—Estoy en Nueva York y pienso residir aquí.

—¿Porque eso causará buena impresión en una audiencia judicial? Joanna, ¿quieres ser madre? Pues por lo que a mí respecta, puedes serlo. Cásate y ten hijos. O no te cases y ten hijos de todos modos. Haz lo que te plazca. Pero no me metas en el asunto. Y tampoco te entrometas con mi hijo.

—Yo lo di a luz. Es mi hijo.

—Por lo que recuerdo, decidiste olvidarlo.

—¡Incluso le di el nombre! *Yo* elegí llamarlo Billy. Tú querías llamarlo Peter o algo parecido.

—Eso fue hace un siglo.

—Siempre podrás verlo.

—Sí. Todas las noches. Explícaselo a tu abogado.

—Entonces, ¿no me dejas alternativa? ¿Tendremos que pleitear?

—Eso es asunto tuyo. Pero te diré una cosa. Si

vas a juicio, no ganarás. Perderás el caso.

Ted abrigaba la esperanza de que ella renunciara a sus propósitos cuando viese que estaba absolutamente decidido. Se había sentido desconcertado en otro tiempo porque Joanna se había marchado. Ahora deseaba que volviese a desaparecer.

Si Ted Kramer había esperado que la fidelidad que demostraba a su hijo se viese recompensada por la actitud de un niño obediente y dócil, lo único que recibió fue el comentario: «¡Papi, eres malo!», después de una discusión acerca de la obligación de ir a acostarse. Y un instante después, Billy salió de su dormitorio y sin el menor cálculo, simplemente como quien completa una tarea inconclusa, besó a su padre en la mejilla y dijo: «Olvidé darte el beso de buenas noches. Quiero decir que me besaste, pero yo no te besé» y después volvió corriendo a su cuarto y dejó a un padre que se preguntaba divertido cómo sería vivir en medio de todo aquello hasta la adolescencia de Billy, deseando mantener su hogar, abrigando la esperanza de que ella abandonase el asunto o cambiase de idea, después de recordar que la presencia del niño inevitablemente había de reducir el tiempo que ella podía destinar al tenis.

—¿De modo que me he quedado sin trabajo? ¡Maldita sea!

—Lo siento, Ted —dijo O'Connor—. Yo te metí en esto.

Los empleados discutían las razones por las cuales la empresa cerraba sus puertas. Ted no participaba, sabía muy bien la causa del problema. Los directores de la compañía, que tenían un conocimiento superficial del ramo, no habían suministrado fondos suficientes.

—Ted, pienso jubilarme. Pero te doy mi palabra de que te conseguiré empleo antes de arreglar mis asuntos.

—Gracias, Jim. Pero me propongo conseguir empleo dentro de las próximas cuarenta y ocho horas.

—¿Cómo demonios piensas lograrlo?

—No lo sé.

Algunos empleados vengativos, enfurecidos porque la firma se disolvía precisamente antes de Navidad, sin bonificaciones y con dos semanas de preaviso, robaron todo lo que pudieron de la oficina: grapadoras, papel carbón, máquinas de escribir. Ted dejó el escritorio exactamente como estaba y ni siquiera se molestó en arreglar los papeles. Cuando terminó de hablar con O'Connor, se despidió de algunas personas y salió de su despacho.

—¡Feliz Navidad! —le dijo un delgado Papá Noel, provisto de una campanilla, frente a la puerta del edificio.

—¡Farsante! —replicó Ted—. Siempre quise decírselo.

El jovencito de la oficina posiblemente creyera que el hombre que garabateaba un curriculum en una silla plegadiza, al lado de la multicopista era un desequilibrado.

—¡Lo quiero listo dentro de una hora!

—Señor, hay que pasarlo a la mecanógrafa y después...

—¡Una hora! Pago el triple.

Mientras esperaba las copias, comenzó a telefonear a las agencias de colocación, para concertar citas.

—Dígales que quiero una entrevista a las tres, o de lo contrario iré a otra firma.

—Usted debe de ser un tipo importante.

—En efecto, lo soy.

Era el peor momento del año para quedarse sin empleo, la actividad se interrumpía a causa de los días festivos y la gente no cambiaba de empresa. Recibió las copias, corrió de una agencia a otra el resto de la tarde, fue en taxi a la oficina del *New York Times* para anotar todas las demandas de personal de la semana anterior. A la mañana siguiente salió de su casa a las ocho y media y golpeaba nerviosamente el suelo cuando el metro aminoraba la velocidad entre estaciones, y subía a la carrera la escalera que llevaba a la calle porque quería ser el primero en llegar a la agencia para contarse entre los primeros en la siguiente. Corrió, telefoneó, distribuyó copias del curriculum. Necesitaba empleo. Necesitaba empleo, *ya mismo.* En todo aquel ajetreo no se detuvo a pensar un instante que en realidad estaba aterrorizado.

Durante las primeras veinticuatro de las cuarenta y ocho horas que se había fijado absurdamente, descubrió que el mercado de su especialidad consistía en dos posibilidades: *El Mundo del envase:* el editor de modales untuosos no había encontrado candidato, o bien ya había despedido a alguien; y la revista *Mc Call's,* donde el cargo se mantenía vacante desde hacía dos meses. El asunto era sospechoso, le reveló el encargado de la agencia de empleo. Tal vez no deseaban realmente contratar a nadie. Ted estaba en una cabina telefónica, golpeando el piso con el pie, un tic nervioso que acababa de adquirir a la edad de cuarenta años.

—John, todavía no tengo noticias.

—Quizá la asustara —dijo Shaunessy.

—Tal vez deba mencionarlo... mi situación ha cambiado. Estoy sin trabajo. La firma ha cerrado sus puertas.

Una larga pausa, demasiado prolongada para Ted.

—Está bien. Podemos afrontar el asunto. Si llegamos a una audiencia, podrá demostrarse que usted es hombre financieramente responsable. De eso estoy seguro. En todo caso, Ted, podrá pagar después.

—¿Cuánto puede costarme todo el asunto?

—Es costoso. Y depende de lo que dure el juicio, en el supuesto de que lleguemos a eso. En cifras redondas, digamos que cinco mil. Si pierde, también tendrá que pagar las costas de su mujer; pero no pensemos en eso.

—¡Dios mío!

—¿Qué puedo decirle? Así son las cosas.

—Bien, ¿qué me dice de mi trabajo? Sin duda, no me favorece. Pretendo la custodia del niño y ni siquiera tengo trabajo.

Otra pausa prolongada.

—Sería mejor que trabajase. ¿Tiene posibilidades?

—Sí, las tengo. Gracias, John —y su pie siguió golpeando el piso, ahora en dirección a la salida de la cabina.

Se dirigió con paso rápido hacia la siguiente agencia y de pronto se detuvo. Ya había estado allí un rato antes. Estaba en la esquina de la Avenida Madison con la calle Cuarenta y Cinco, jadeante, golpeando el suelo con el pie.

Había apremiado a la agencia para que concertase una cita en la revista *Mc Call's* ese mismo día a las cuatro de la tarde. El gerente de publicidad era un hombre de cerca de cincuenta años y su mente parecía estar en el reloj y los festivos. Se hubiera dicho que sólo deseaba cumplir la ceremonia formal de la entrevista. Ted vendía, y a presión; con energía y entusiasmo explicó al hombre sus antecedentes en otras revistas, y aportó hechos y cifras acerca de los mercados, tablas demográficas, ejemplos de publicidad gráfica comparada con otros medios, todo lo que recordaba de una presentación de ventas; y cuando ya había logrado explicar el cuadro completo a su interlocutor, le preguntó si era necesario ver a otra persona y si había inconveniente en hacerlo inmediatamente.

—Nuestro director de publicidad. Pero hoy sale de la ciudad.

—Por favor, ¿puede llamarlo? ¿O podemos ir a verlo?

—Señor Kramer, usted se apresura un poco.

—Mire, quiero conseguir este puesto.

El hombre miró un momento a Ted, y después salió de la habitación con el curriculum. Diez minutos más tarde regresó con otro hombre, un individuo de cincuenta y tantos años. Se hicieron las presentaciones y el director de publicidad se acomodó en una silla.

—¿De modo que usted es el hombre que nos apremia?

—¿Puede repetir su discurso? —pidió el gerente de publicidad.

Ted repitió todos los puntos de su biografía, esta vez decidido a cerrar la venta.

—Entiendo que ustedes pagan de veinticinco a veintiséis. Supongo que en el caso de una persona de mi experiencia serán veintiséis.

—Veinticinco —dijo el director de publicidad en un movimiento táctico.

—Muy bien. Le diré cuál es mi idea. Aceptaré el empleo por veinticuatro quinientos. Es decir, quinientos menos de lo que ustedes están dispuestos a pagar. Pero tienen que darme la respuesta ahora mismo. No mañana, ni la semana próxima, ni después de las fiestas. Para mí, vale la respuesta ahora mismo, y para conseguirla aceptaré quinientos menos. Me propongo compensar esa disminución con comisiones.

—Señor Kramer, usted es un vendedor enérgico —dijo el director de publicidad.

—Sólo hoy. Es mi oferta actual, veinticuatro quinientos.

—¿Quiere disculparnos un momento? —dijo el director de publicidad, e indicó a Ted que esperara fuera de la oficina.

—¡Maldita sea! Estoy fuera de mí. ¿Qué quiero conseguir? Debo estar desesperado. *Estoy* desesperado.

Invitaron a entrar a Ted, y el gerente de publicidad echó una última ojeada a los antecedentes del candidato.

—Comprobaremos algunas de sus referencias —dijo.

—Hágalo. Por favor.

—Pero estoy seguro de que confirmarán sus datos.

—Señor Kramer —dijo el director de publicidad—, bien venido por veinticuatro mil quinientos.

¡Lo conseguí! ¡Santo Dios!

—Bueno, caballeros, me alegra mucho incorporarme a la empresa.

Caminó apresuradamente por la calle, de regreso al edificio donde estaban las oficinas de *Moda masculina.* El enjuto Papá Noel estaba en su puesto, agitando una campanilla frente a un anuncio. Ted le dio su dinero suelto, un billete de cinco dólares, y excitado le estrechó tan fuertemente la mano que Papá Noel lanzó un gemido.

Las operaciones seguían un ritmo lento en *Mc Call's* durante los días de fiesta, y Ted pudo adaptarse con comodidad a su nueva oficina. Su pie había dejado de moverse espasmódicamente. Pertenecía a una organización sólida, y el primer día de trabajo después de Año Nuevo inició un ciclo completo de visitas de venta. Había conseguido empleo con tal rapidez que no necesitó tocar la indemnización, de modo que ese dinero quedó reservado para los gastos judiciales. No había tenido noticias de Joanna.

El teléfono sonó una noche, después de las diez.

—Señor Kramer, habla Ron Willis. Soy amigo de Joanna.

—¿Y...?

—Creo que puedo ayudarles a salir de este callejón sin salida.

—No sabía que hubiera tal cosa.

—Pensé que si usted y yo nos veíamos, podría aclararle algunos puntos.

—¿Usted es el abogado de Joanna?

—Soy abogado. Pero no represento a Joanna.

—Entonces, ¿quién es usted?

—Sólo su amigo. Creo que si conversamos podré evitarles, a usted y a Joanna, una serie de molestias.

—Alguien me llama para ahorrarme molestias. Presumo que es la segunda maniobra de Joanna.

—No se trata de eso, créame.

—¿Por qué debo creerle?

—Joanna ni siquiera me pidió que lo llamase.

—Y tampoco lo sabe, ¿verdad?

—Sí, lo sabe. Pero la idea fue mía.

Ted tenía tanta curiosidad en conocer al «amigo» de Joanna como de enterarse qué planeaba el enemigo.

—Muy bien, señor Willis. Podemos encontrarnos en Martell's, en la esquina de Ochenta y Tres y la Tercera Avenida, el viernes a las ocho. Pediremos una cerveza y charlaremos.

—Muy bien, señor Kramer.

—Sí, es maravilloso, ¿verdad?

John Shaunessy no se opuso a la reunión con un tercero, porque de ese modo podían obtener información, pero le previno acerca de los inconvenientes de beber en un bar. Una taza de café en un negocio muy concurrido sería preferible; o bien una amable conversación frente al edificio de Ted. Se trataba de evitar una trampa, una discusión, una pelea a puñetazos, una propuesta homosexual, todo lo cual podía terminar en un arresto. Se disculpó por la sordidez de su enfoque, pero deseaba señalar que esas tácticas no eran desconocidas, y que un juez podía mirar con malos ojos cualquiera de los delitos mencionados.

A la mañana siguiente, Ted no podía creer lo que le decía Billy. ¿Acaso tenían los niños cualidades telepáticas? Había procurado comentar la situación sólo mientras Billy dormía. Sin que viniese a cuento, mientras esperaba que el semáforo les diese paso camino de la escuela, el niño dijo:

—¿Cuándo volveré a ver a mi mami?

—No estoy seguro.

—Me gustaría ver a mi mami.

—Billy, ya sé que todo esto es difícil para ti.

Siguieron caminando en silencio. Cuando llegaron a la escuela, el niño miró a su padre, como si hubiera llegado a una conclusión personal.

—La señora Willewska es como una mami. En realidad no es una mami, pero se parece. ¿Comprendes lo que quiero decir?

—Sí. William Kramer, eres un superniño.

Convencido de que había tranquilizado a su padre, el niño subió la escalera que conducía a la puerta de la escuela.

Por la noche, Billy pidió un cuento. *La ardilla desobediente,* un relato acerca de una ardillita que quiere huir, y la mamá ardilla, a pesar de todas las dificultades, siempre la encuentra. Después de la partida de Joanna, Ted había desechado el libro. Le había parecido insoportable leerlo a Billy. Decía que se había perdido y a cambio le leía el cuento del viejo Babar. Antes de dormirse, Billy se puso a hablar solo, una especie de conversación fantástica entre una mami y su hijo. Ted ya no podía evitar que el niño, a quien amaba, viese a su madre, porque él lo deseaba. Al día siguiente llamó a Joanna al trabajo, fue una conversación fría y breve entre extraños. Podía ver a Billy cuando lo deseara, llevarlo a cenar, o salir con él cualquiera de los días siguientes. Ted arreglaría las cosas con la cuidadora. Concertaron una salida a cenar, al día siguiente a las cinco. Ted también comunicó a Joanna que su amigo debía esperarlo frente al edificio y no en el bar.

—No fue idea mía —dijo Joanna.

—Eso me han dicho.

Y no tuvieron nada más que decirse.

Ted estaba de pie frente al edificio, esperando al representante de Joanna. Llegó el taxi; era un joven alto, rubio y musculoso —a Ted le pareció que no podía tener más de treinta años—, la piel bronceada, de traje y corbata, con un impermeable ligero al brazo, lo cual era temerario o estúpido, porque en Nueva York hacía un tiempo frío y húmedo.

—Señor Kramer, soy Ron Willis. ¿Dónde podemos hablar?

—Aquí mismo.

—Si lo prefiere así... En primer lugar, Joanna y yo somos buenos amigos.

—Felicidades.

—Creo que la conozco bien. En cierto sentido, mejor que usted, si me permite decirlo. Creo que Joanna ha cambiado mucho desde que usted la conoció.

—Transmítale mis felicitaciones.

Ted lo odió. Lo odió por su aspecto, por su modo de mantener la mirada fija en el interlocutor, como si quisiera dominar al otro con su inagotable confianza en sí mismo; y lo odió también porque se acostaba con su ex esposa.

—Nos conocimos después de que ella terminara

su período de California, por así decirlo. Trabajó en Hertz, y a veces medio día en oficinas... trabajos casuales. Se sometió a una terapia de apoyo y conoció a algunos hombres. Nada permanente.

De modo que Joanna también tropezaba con dificultades para mantener relaciones con la gente. El hecho reconfortó a Ted.

—Pero yo sabía que no era una de tantas fanáticas de California. Hay mucho de eso.

—Supongo que van porque les gustan las uvas.

Ted no pensaba facilitar las cosas. De ningún modo creía que aquel hombre era su amigo.

Willis, que se había puesto el impermeable, comenzó a temblar de frío, y ahora que Ted supo que Willis no intentaba impresionarlo con su resistencia física, pensó que era absurdo continuar en la calle. Sugirió que se instalaran en un café cercano, donde Willis tragó un chocolate caliente. Había perdido el duelo de la sangre.

—Señor Kramer, ¿puede soportar mi franqueza?

—Vamos, vamos. Y ya que quiere ser franco, llámeme Ted.

—Creo que el matrimonio de Joanna con usted fue muy desagradable. Y en la cabeza se le mezclaron el matrimonio y el niño. A mi juicio, Joanna reaccionó con desmesura y lo comprende ahora. Se separó demasiado.

—La dama quería su libertad. Fue su propia decisión.

—Vea, la noche que me habló por primera vez del niño, lloró tres horas seguidas. Fue como si se hubiera roto un dique... la revelación de ese niño cuya existencia me había ocultado y se había ocultado a sí misma.

—Es difícil esconderlo.

—Mire, Joanna pudo seguir su propio camino. Pero ahora ha descubierto algo. Ha descubierto que cometió un error. Reaccionó con excesiva fuerza. ¿Usted soportaría toda la vida un error, si pudiera corregirlo?

—Quizá no pueda corregirse éste. Ron, evidentemente usted no sabe nada del tiempo de Nueva York, y tal vez sepa menos de Joanna. Ella llevó una vida fácil...

—¿Considera fácil la vida que ella hizo?

—Mire, lo único que tenía que decir era «disculpe», y cualquiera acudía corriendo a respaldarla. Dígame, ¿piensa casarse con ella?

—¿A usted qué le importa? ¿Es el padre?

Aquello estaba mucho más claro. Tampoco él simpatizaba con Ted.

—Hace seis meses que estamos juntos.

—Qué maravilloso.

Ted sintió deseos de echarlo a la calle, con impermeable y todo.

—Decidí venir al Este, abrir nuestra oficina en Nueva York y ayudar a Joanna a resolver este problema.

—¿Y su tarea es convencerme?

—Me pareció que podía ser útil. Creo que ustedes dos ya no se comunican. Ted, usted gozaría del derecho de visitar al niño. Y piense en esto... Joanna sería una madre maravillosa, precisamente por lo que hizo. Es un paso que ella da voluntariamente.

—No estoy convencido.

—Quizá está mal informado. Si ella apela a los tribunales, usted perderá la causa.

—No lo creo. Mi abogado no piensa lo mismo.

—Decir eso es parte de su tarea. ¿Cree que podrá presentarse ante el juez y demostrar que una persona como Joanna es incapaz?

—Tal vez pueda probar que yo soy capaz.

—Ted, un juicio significa tiempo y dinero, y tensión nerviosa para todos, además de que es muy desagradable. No deseo que Joanna tenga una experiencia semejante, si no es indispensable. Y usted no me importa un comino, pero como ser humano tampoco veo por qué tiene que soportar una cosa así.

Ted le creyó. Estaba persuadido de que era la razón por la cual había intercedido Willis además, por supuesto, del deseo de ganar sin juicio.

—Ron, todo lo que usted ha dicho puede ser cierto. Pero no me ha convencido en un punto muy importante. ¿Por qué debo renunciar a alguien a quien quiero tanto? Usted tendría que ser el padre para saber a qué me refiero. Soy su *padre*. Si él fuese mi ardillita fugada, volvería a encontrarlo.

Joanna dejó un mensaje a la secretaria de Ted: «¿Puedo ver a Billy el sábado a las once, para devolverlo a las cinco?» Ted llamó a su vez, y dejó un mensaje a la telefonista: «De acuerdo, a las once.» El sábado, ella llamó desde la puerta del edificio, y Ted envió a Billy. A las cinco volvió a llamar y despachó a Billy en el ascensor. En ninguno de los dos casos se vieron Ted y Joanna. El niño pasó de unas manos a otras.

Billy parecía contento con el día que había pasado. Los padres de Joanna habían llegado a la ciudad y habían ido al zoológico con Joanna y Billy. Ted pensó que podía soportar la situación por muy impersonal que fuese. Billy podía quedarse con él, como había ocurrido hasta entonces, y Joanna podía ver a su hijo. El lunes por la mañana, después de dejar a Billy en la escuela, un hombre se le acercó en la calle.

—Señor Kramer, tengo orden de entregarle esto.

Le puso en la mano una citación. Joanna Kramer demandaba judicialmente a Ted Kramer con el fin de obtener la custodia del niño.

DIECISIETE

En el caso *Kramer contra Kramer*, Joanna pidió al tribunal que anulase su decisión original de dejar al niño bajo la custodia del padre. Afirmaba que había adoptado aquella decisión «sometida a la angustia mental de un matrimonio oneroso».

«Después de restablecer mi bienestar físico y emocional —afirmaba— y de lograr ese resultado mediante un cambio de ambiente, regresé a la ciudad de Nueva York, donde ahora resido y estoy empleada.

En el momento en que concedí al padre la custodia de mi hijo no me hallaba en un período estable de mi vida. Me equivoqué al otorgar la custodia. Equivocarse es humano. Tener una mente equilibrada, gozar de buena salud, poseer independencia económica, y que una madre se vea privada por un error del contacto cotidiano con su hijo, es inhumano. Mi hijo tiene sólo cinco años y necesita el cuidado especial, el apoyo que sólo una madre puede ofrecerle. En mi carácter de madre natural del niño, que retorna a su hijo movida por sentimientos profundos, pido que se me conceda la custodia. Pido que el calor y la buena disposición que el niño ya ha demostrado en nuestros encuentros de los últimos tiempos continúen floreciendo, y que ni la madre ni el niño se vean privados de la intimidad y la naturalidad de su afecto mutuo.»

—Muy directo —dijo Shaunessy—. Apuntan directo al blanco... la maternidad.

Ted Kramer pasó tres horas en el despacho de John Shaunessy, el abogado que se esforzaba por ganar sus honorarios, y que instruía a su cliente en el procedimiento judicial de aquel tipo de cosas. El primer paso debía ser la respuesta a la petición y argüir que no era posible perturbar la custodia. En opinión de Shaunessy, era improbable que ese enfoque tuviese éxito, pues el juez ya había autorizado la entrega de las citaciones. Creía que una audiencia era inevitable.

De acuerdo con la descripción de Shaunessy, la audiencia por la custodia sería semejante a un proceso, un procedimiento de oposición que se desarrollaba en presencia del juez. Se permitía a cada parte citar testigos, examinados directamente por el abogado, y repreguntados por el abogado de la parte contraria. Después de escuchar la argumentación final, el juez reservaba su decisión, y a los pocos días o las pocas semanas dictaba el fallo, que establecía a quién se otorgaba la custodia.

Mientras repasaban los detalles del matrimonio y analizaban a los posibles testigos, Ted comenzó a confundirse. Le parecía monstruoso hallarse en el estudio de un abogado, delineando la estrategia que le permitiría conservar a su hijo. Las palabras le llegaban desde lejos. No podía concentrarse.

—¿Ted?

—No hay dónde esconderse, ¿verdad? —dijo Ted. tratando de reaccionar.

—No, si quiere retener a su hijo. Alguna gente desaparece.

—No.

—Bueno, usted tiene la pelota. Ella tiene que quitársela.

Shaunessy conocía al abogado de Joanna, un profesional llamado Paul Gressen. Opinaba que era un individuo muy capaz. Del juez, un hombre llamado Herman B. Atkins, dijo que era «un tipo bastante humano». La audiencia costaría a Ted unos cinco mil dólares, ganase o perdiese, y una suma similar, quizá, si Joanna vencía y él tenía que pagar las costas del juicio. Ted se preguntaba cuál era el precio de un niño. Tenía que encontrar el dinero. Lo sabía bien. Paradójicamente, la persona que tenía ese marbete con el precio sobre la cabeza, con su conocimiento impreciso de lo que costaba todo, no hubiera sido capaz de distinguir entre el coste de su nueva chaqueta de invierno y el coste de mantenerlo.

La retención o el alejamiento de William Kramer sería decidido por el tribunal con el tradicional principio jurídico de «los mejores intereses del niño».

—Ted, tenemos que demostrar que *usted* representa los mejores intereses del niño.

Examinaron la capacidad de Ted como padre, y se enunciaron cualidades que él mismo no habría creído mencionables: que no era alcohólico, drogadicto, homosexual o ex convicto, que tenía trabajo, algo que *en efecto* él había considerado, y que no era culpable de «grosera ineptitud moral».

Advirtió que ni siquiera era culpable de aventuras sexuales. Vivian, su aventura más reciente, no había respondido a las escasas llamadas que le había hecho durante los últimos días. Ted se preguntó si sería a causa de las posibles aprensiones respecto de sus dificultades o a su actitud distante como resultado del problema que afrontaba. Pero Ted no podía detenerse en el asunto porque ahora le parecía insignificante.

Ted creía que, desde el punto de vista del abogado, el hecho de que Joanna hubiese abandonado la casa sería un punto importante en contra de ella, pero Shaunessy explicó el caso *Haskins contra Haskins*, un fallo importante en relación con una madre que había otorgado la custodia y luego quiso recuperar al hijo. El juez estableció un precedente en virtud del cual se concedía el niño a la madre sobre la base de que «no es tan fácil renunciar a la maternidad».

La opinión de Shaunessy era que Joanna podía ser vulnerable en vista de su historia, porque sus idas y venidas podían ejercer cierta influencia emocional; pero a su entender el argumento principal debía ser el propio Ted Kramer. Ted era un padre responsable, abnegado y cariñoso, y no podrían atenderse los mejores intereses del niño si se lo apartaba del cuidado tan eficiente de su padre.

—Cuanto más pienso en este asunto, más me interesa considerar la estabilidad mental de su esposa. ¿Nunca la descubrió hablando sola?

—¿A Joanna?

—Ted, hemos entrado en un juego sucio. Usarán todo lo que puedan contra usted. De modo que piense del mismo modo. Nos beneficiará si podemos demostrar que cuando se fue de la casa estaba un poco loca, aunque no consigamos probarlo con un certificado médico.

—John, Joanna jamás habló sola.

—Qué lástima.

Cuando pensó en la gente que podía ayudarlo, Ted se preguntó si su cuidadora sería una testigo apropiada. Conocía a Billy mejor que nadie, y había observado al padre y al hijo en el hogar; pero Ted vacilaba ante la idea de pedírselo. La mujer era tan ingenua, que llevarla al estrado parecía un modo de utilizarla, como sugirió a Shaunessy.

—Vamos, Ted. Tiene que entender cómo es el juego. Traiga a su loro favorito siempre que pueda decir algo que ayude.

—Es una señora muy ingenua.

—Anótela. La prepararemos.

Pero Etta Willewska se sintió confundida ante el carácter del asunto.

—¿La señora Kramer quiere llevarse a Billy?

—Bueno, tiene derecho a intentarlo.

—El niño quiere mucho a su padre.

Vamos, Ted, tienes que comprender cómo es el juego.

—Señora Willewska, ¿estaría dispuesta a decir eso ante el juez?

—¿Hablar frente a la gente?

—Sí. Explicarles cómo vivimos aquí.

Interrogó al abogado acerca de Billy. ¿El debía ser testigo? ¿Tendría que comparecer ante el juez? ¿En favor de quién?

—No, Ted. Quizá el juez quiera hablarle en privado, pero lo dudo. El niño es *non sui juris*. Demasiado pequeño para atestiguar. Es incompetente.

—Por ahora, nada sabe —dijo Ted, aliviado.

Ted había decidido no informar a Billy que sus padres se disponían a pleitear por su tenencia. Tampoco dijo nada en la oficina. Estaba atrapado en una especie de círculo vicioso; si se absorbía demasiado en la audiencia, corría el riesgo de perder el empleo; y si perdía el empleo, corría el riesgo de perder el caso.

Concurrió al tribunal en la fecha indicada en la citación, haciendo tiempo entre dos visitas de ventas. Shaunessy explicó a Ted que su presencia era innecesaria, que normalmente los abogados argumentan sus posiciones en ausencia de los clientes; pero Ted no deseaba que ocurriese nada sin que él lo supiera, de modo que se reunió con su abogado en la antesala del tribunal. Joanna no había concurrido al juzgado, y había dejado que su abogado intentase una ágil maniobra ante el juez. El abogado solicitó que la petición de Joanna se atendiese en vista de la fuerza de los argumentos, y que se le otorgase la custodia sin necesidad de audiencia. El juez, un hombre menudo y calvo, de más de sesenta años, rechazó la petición con la misma desenvoltura que desechó el alegato de Shaunessy en el sentido de que no se necesitaba audiencia y de que no debía perturbarse el régimen de la custodia.

Paul Gressen era un hombre de modales discretos, tenía cerca de cincuenta años y usaba un traje bien cortado, con pañuelo de seda y corbata que hacían juego. Tenía una voz suave y una sonrisa irónica y las utilizaba con fines tácticos. John Shaunessy no se quedaba atrás en apostura y atuendo. Era una figura alta e imponente, de cabellos grises, que vestía su propio uniforme tribunalicio, un traje azul de tres piezas con un clavel blanco en el ojal. Pero en definitiva, las posturas de los abogados y sus maniobras legales no alteraron el resultado que Shaunessy había anticipado, es decir, una audiencia. El juez expresó su interés en acelerar el caso, en vista de «la corta edad del niño». Después fijó fecha para la audiencia, que debía celebrarse tres semanas después.

Shaunessy salió al corredor con Ted, y se disculpó por no acompañarle, pero debía atender allí los asuntos de otros clientes. Conversarían por la mañana. Solo, Ted se dirigió al vestíbulo y bajó los peldaños del tribunal; a partir de entonces —por lo menos a los ojos del juez— era «el demandado» en la acción promovida por la «demandante».

El juez nombró a una psicóloga que debía investigar los hogares y las personalidades de las partes del juicio. La psicóloga llegó al apartamento de Ted la noche de un día laboral; era una dama regordeta, de cuarenta y tantos años de edad, y jamás sonreía. La doctora Alvarez recorrió la casa, abrió alacenas, investigó el frigorífico, los guardarropas del dormitorio, el botiquín del cuarto de baño. Preguntó si Billy podía jugar en su cuarto unos minutos, y sacó papel y lápiz para entrevistar a Ted. Deseaba saber cómo pasaba el día, cómo distribuía su tiempo con Billy, qué actividades compartían, qué hacía cuando estaba solo, y si otras personas compartían la casa con él. Ted mencionó a Etta, pero la intención de la pregunta era puramente sexual, como lo supo cuando la mujer preguntó directamente:

—Señor Kramer, ¿mantiene relaciones sexuales con alguien en esta casa?

Señora, cuando puedo. ¿Tiene alguna proposición que hacerme?

—Doctora, intento llevar discretamente mi vida social. En este momento no estoy viendo a nadie.

—¿Eso le molesta?

—No demasiado.

—¿Otras cosas?

—¿Que me molesten?

Que usted esté aquí, y esta audiencia, y Joanna, y su abogado, y el juez, y que me juzguen por lo que en mí mismo es fundamental.

—No sé qué contestar a eso. Las cosas normales que inquietan a la gente normal. El coste de la vida, la enfermedad de mi hijo.

—Muy bien. Si es posible, me gustaría conversar con el niño. En privado.

En el umbral de la puerta del cuarto de Billy, el niño estaba organizando una metrópoli, autos de juguete conducidos por superhéroes, el cinturón de cuero como autopista, los cubos formando edificios, todo lo cual impedía que se cerrara la puerta. Ted podía escuchar desde la sala de estar.

—¿Qué tienes aquí, Billy? —preguntó ella.

—Esto es Detroit.

—¿Estuviste en Detroit?

—No, pero sí en Brooklyn.

Ted hubiera querido saber si ella anotaba todo.

La mujer preguntó al niño cuáles eran sus juegos, sus actividades, las personas favoritas. Entre las personas Billy mencionó a Kim, Thelma, la señora Willewska, su papá y Batman.

—¿Y tu mami?

—Oh, claro. Mi mami.

—¿Te gusta estar con tu mami?

Ted comenzó a sentirse incómodo. Deseaba intervenir y decirle que estaba llevando de la nariz al testigo.

—Oh, claro.

—¿Qué te gusta especialmente de ella?

—Almorzar en el restaurante.

—¿Y qué te gusta de tu papá?

—Jugar.

—Dime, ¿tu papá te pega?

—Muchas veces.

La respuesta impulsó a Ted a acercarse a la puerta.

—¿Cuándo te pega?

—Cuando soy malo.

Billy, ¿qué estás diciendo?

—Me pega en el Planeta Kritanio, cuando robo el tesoro enterrado de la famosa fábrica de crema de cacao.

—En la vida real, ¿cuándo te pega?

—Tonta, mi papá no me pega. ¿Por qué tendría que pegarme?

La entrevista terminó ahí. La doctora Alvarez se despidió, echó una ojeada final al departamento y la noche concluyó para Ted y William Kramer con el vuelo de Pedro Picapiedra en el avión de Batman, en dirección a Detroit.

Un lunes, la víspera de la audiencia, Ted fue a ver al gerente de publicidad de la empresa y le dijo que necesitaba unos días libres, podían descontarlos de sus vacaciones, pero tenía que afrontar a su ex esposa, que le disputaba la custodia del niño. Había evitado explicar el asunto en la oficina, con el fin de eliminar murmuraciones o dudas acerca de su persona; y ahora tenía que dedicar tiempo a la audiencia. Realizaba sus tareas cotidianas, hacía visitas de ventas, ahora en una actitud vacilante porque su capacidad de concentración disminuía hora tras hora. A las cinco de la tarde volvió a casa y a su hijo, que aún ignoraba que a la mañana siguiente, a las nueve y media, el calendario del tribunal indicaba el comienzo del juicio *Kramer contra Kramer*.

La fachada del tribunal decía: «La Verdadera Administración de la Justicia es el Pilar más Firme del Buen Gobierno.» ¿Buen gobierno? Yo sólo deseo conservar a mi hijo.

Ted Kramer entró en la sala donde debía celebrarse la audiencia. Cuando miró alrededor se sintió muy conmovido, porque vio a varias personas que habían acudido a ayudarle. Thelma, Charlie —Dios mío, Charlie, ¿cuánto te cuesta venir aquí?— Thelma y Charlie sentados uno al lado del otro, unidos durante un instante por la necesidad de Ted, y Etta, tocada con un gorro que parecía de Pascua, y Ellen, la esposa de Larry, que creía que dada su condición de maestra su presencia podía ser útil, y Sandy, su cuñada, que había volado desde Chicago, y Jim O'Connor, el cabello bien cortado y una camisa y corbata nuevas; todos habían acudido por afecto, para ayudarle a conservar a su hijo.

Entró Joanna, muy hermosa, con un vestido de lana, acompañada por Ron Willis y el abogado. Ella y el abogado ocuparon asientos frente a la mesa, delante del estrado del juez. Ted comenzó a acercarse a su propio abogado, instalado frente a otra mesa, y de pronto se abrió la puerta y entraron los padres de Joanna. Evitaron mirarlo, en una actitud que parecía de profundo embarazo. Sus ex padres políticos sin duda habían acudido para atestiguar contra él. Ocuparon asientos al fondo, del otro lado de la familia.

La sala tenía un aire majestuoso, un techo alto, bancos de roble y muebles de caoba en buen estado. «En Dios Confiamos» sobre la pared, frente a la sala, y al costado una bandera norteamericana. El juez llegó con su túnica oscura, el guardia anunció:

—¡Todos en pie! —el estenógrafo ocupó su sitio cerca de la silla de los testigos y todos estuvieron prontos para comenzar. Ted respiró hondo porque sentía la necesidad de llenar de aire los pulmones.

En su condición de demandante, Joanna tenía derecho a iniciar las acciones y su abogado la llamó inmediatamente al estrado como testigo de su propia causa. Habían decidido no molestarse en defender el caso con personajes secundarios. La maternidad, la madre, era el principal argumento, y por eso se destacaba el papel de la propia Joanna.

El testimonio de Joanna se inició lentamente, y su abogado puntualizó con cuidado las fechas, trazó un perfil de los años que ella había vivido con Ted, y después con Billy, hasta el momento actual. Ted se descubrió recordando evocaciones desordenadas, la primera vez que habían hecho el amor, él y Joanna, bella mujer a quien ya no conocía, que le había rodeado el cuerpo con las piernas. La primera vez que él había alzado a Billy, qué pequeño parecía el niño. La primera vez que había visto a Joanna amamantando al bebé. En efecto, ella lo había amamantado. Eso no estaba en el testimonio. Ted había olvidado el detalle.

Luego, Gressen comenzó a preguntar a Joanna acerca de su empleo y de sus responsabilidades en el trabajo. El abogado vinculó este aspecto con un período anterior.

—Señora Kramer, ¿ocupó algún empleo mientras estuvo casada con su marido?

—No, no lo hice.

—¿Lo deseaba?

—Sí.

—¿Alguna vez comentó con su ex marido su deseo de trabajar?

—Lo hice. Lo rechazó. Se oponía firmemente a que yo trabajase.

Comenzaron a concentrar la atención en Ted, un hombre que se oponía al desarrollo personal de su esposa. Intentaban justificar la huida de Joanna. Ted *en efecto* se había negado a que ella trabajase.

A él también le parecía imposible que se hubiera mostrado tan estrecho. Apenas lograba reconocerse en el testimonio. Sin embargo, sabía que había sido la persona que ellos describían, pese a que después había cambiado.

El juez ordenó un descanso para almorzar, y Ted

observó a Joanna conversando con su propio abogado.

Se preguntó si también ella habría cambiado, si en aquella sala había dos personas distintas de las que antes fueran marido y mujer, y qué ocurriría si se sintieran atraídas, si se reconocieran como lo que ahora eran..., ¿podrían acabar también acudiendo al mismo tribunal?

Shaunessy comenzó a recoger los papeles distribuidos sobre la mesa, frente a ellos, copias del alegato, el informe de la psicóloga, papeles por doquier, el acta del taquígrafo que brotaba de su máquina como una lengua muy larga, anotaciones, documentos legales.

Joanna fue la primera en abandonar la sala, con su abogado. Después de una demora diplomática para no compartir el ascensor, Ted salió con su letrado, la demandante separada del demandado por la gente, por los papeles, por la jerga jurídica, por el tiempo, mientras se tomaban un descanso y salían de aquella majestuosa sala del tribunal, de aquel cementerio de matrimonios.

DIECIOCHO

El abogado de Joanna continuó insistiendo en el supuesto punto débil del caso de su clienta, el hecho de que hubiese abandonado el hogar. Intentaba convertirlo en un punto fuerte, a saber, que la decisión adoptada era prueba de la profundidad de su frustración, provocada por el demandado, que no le había dejado alternativa.

—¿Quiere explicar al tribunal si le agradaba jugar al tenis?

—Sí.

—Y su ex esposo, ¿cómo reaccionaba frente a su afición al tenis?

—Lo miraba con malos ojos. En presencia de terceros decía que era un viudo por el tenis.

Se había sentido confinada emocionalmente, y además soportaba la carga adicional de un niño pequeño.

—¿Quería al niño?

—Mucho.

—Cuando era pequeño, ¿cómo lo alimentaba?

—Lo amamantaba. De ese modo podía estar más cerca de mi hijo en mi condición de madre.

No era una situación en la cual una de las partes pudiese desdeñar cualquier posible ventaja.

—Y sin embargo, ¿decidió abandonar a su hijo?

—Me encontraba en una situación muy difícil. Si mi marido se hubiese mostrado más dispuesto a darme libertad para atender mis propios intereses, no habría sentido una desesperación tan profunda.

—Es una verdad a medias —murmuró Ted a su abogado—. No era *necesario* que se fuera.

Shaunessy asintió. No era su primer juicio.

—Incluso le propuse que solicitáramos ayuda.

—Shhh —dijo el abogado, y dejó descansar su mano sobre el brazo del cliente para tranquilizarlo.

—Todo se unificó... el matrimonio, mi marido, la presión, el niño. Me parecía una sola cosa, porque era una sola cosa. Mi marido había destruido todas las alternativas.

—Y después, ¿qué hizo?

—Lo único que me pareció posible en esas circunstancias. Como para mí era todo uno, no podía separar las partes del conjunto que era necesario corregir. Tenía que liberarme de todo, del asunto entero. Y me fui para encontrar una vida mejor.

—Entonces, ¿renunció a su hijo?

—No, a mi hijo no... a mi matrimonio, a mi marido, a mi frustración y a mi hijo. Abandoné ese paquete que mi marido había atado con tanta firmeza.

—Señora Kramer, ¿por qué fijó su residencia aquí, en Nueva York?

—Porque aquí está el niño. Y el padre. Soy madre, y no quiero que mi hijo crezca separado de su padre.

—Cuánta bondad —murmuró Shaunessy a su cliente.

Gressen la interrogó acerca del momento en que había comenzado a experimentar un sentimiento de pérdida respecto del niño. Ella dijo que había sido la mañana siguiente a su alejamiento.

—¿Qué hizo usted, en vista de ese sentimiento de pérdida?

—En aquel momento, nada. Aún no me había liberado de la frustración provocada por la experiencia conyugal. Era demasiado...

—Protesto. La testigo está formulando una opinión.

—Protesta aceptada.

—¿Habló con su marido para manifestarle sus sentimientos a propósito del niño?

—Sí, lo hice. En Navidad hizo un año de eso.

Gressen hizo constar la cuenta de teléfonos de Joanna, que incluía las llamadas a Ted desde California; y Joanna afirmó que el propósito de las llamadas era arreglar un encuentro con el niño.

—¿Qué dijo su marido en relación con este encuentro?

—Se mostró hostil. Primero dijo que más tarde me daría su respuesta. Y cuando consintió me preguntó si pensaba raptar al niño.

—¿Y usted raptó al niño?

—No. Le compré un juguete que él deseaba.

Se incorporó a las pruebas el informe de la psicólogo. La doctora Alvarez no había llegado a conclusiones negativas con respecto a ninguna de las partes. Afirmaba que Joanna era una persona «segura de sí misma», y que el ambiente que se proponía ofrecer al niño era «apropiado para las necesidades de su hijo»; el abogado usó el informe como prueba de la aptitud de Joanna. Después se relataron las circunstancias de la última reunión de Joanna con Billy, y Joana explicó que el niño se había sentido muy bien con ella.

—¿Así lo dijo el niño? —preguntó Gressen.

—Sí. Dijo: «Mami, lo pasamos realmente bien.»

Ahora el entusiasmo de Billy era una prueba.

Finalmente, Gressen le preguntó:

—¿Puede explicar al tribunal por qué viene a pedir la custodia?

—Porque soy la madre del niño. Señor Gressen, la primera vez que hablamos, usted me dijo que en ciertos casos se otorgaba a las madres la custodia de sus hijos, aunque antes hubieran renunciado a su derecho. No sé cuál es la lógica jurídica de esa norma. No soy abogado, soy madre. Pero sé cuál es la lógica sentimental. Quiero a mi hijo. Deseo estar con él todo lo posible. Ahora tiene apenas cinco años. Me necesita. No digo que no necesite al padre. Pero a mí me necesita *más*. Soy su madre.

Gressen había preparado a su cliente con un ojo puesto en el reloj. El testimonio de Joanna se había prolongado hasta las cuatro y media de la tarde. El juez Atkins ordenó un aplazamiento hasta el día siguiente, de modo que la argumentación en defensa de la maternidad, formulada por una madre serena y atractiva, se mantuvo incólume toda la noche.

—No se preocupe, Ted —dijo Shaunessy—. Como le dije, usted es nuestro principal argumento. Pero mañana trataremos de conmoverla un poco.

El examen directo a cargo del abogado de la demandante fue en esencia una serie de preguntas convenidas de antemano para llegar a una conclusión preestablecida. Cuando comenzaron las repreguntas, Joanna se mostró menos serena. Si Gressen había apelado a la astucia, Shaunessy revistió la apariencia del viejo sabio y hosco. Destrozó el testimonio de Joanna, y la forzó a explicar los períodos de tiempo que habían transcurrido desde el día de su partida hasta las llamadas telefónicas de Navidad, y desde el encuentro navideño hasta su regreso más reciente.

—Cuando abandonó usted su casa y tuvo ese sentimiento de pérdida al que acaba de referirse, ¿envió al niño cartas o regalos?

—No, yo...

—¿Le envió algo?

—Aún estaba viviendo la experiencia con mi marido.

—¿No envió nada al niño con el fin de demostrarle su amor?

—Le enviaba todo eso en mi corazón.

—En su corazón. ¿Su hijo comprendía el simbolismo?

—Protesto. El abogado intenta intimidar a la testigo.

—¿Puede repetir la pregunta? —dijo el juez al dactilógrafo y Ted se inclinó hacia adelante en su silla. ¿Acaso el juez no escuchaba? ¿Estaba distraído, allí en su sillón, mientras se decidía un problema tan importante? ¿O quería estar seguro de su fallo? Sin embargo. era el juez. Podía hacer su voluntad en la sala del tribunal. El dactilógrafo repitió la pregunta.

—Protesta rechazada. La testigo puede responder.

—Lo único que sé es que a Billy siempre le gustó verme.

—¿Cuánto tiempo se propone vivir en Nueva York, señora Kramer?

—Permanentemente.

Shaunessy se apoderó de la palabra «permanentemente», y la usó como arma.

—¿Cuántos amigos ha tenido... permanentemente...?

—No recuerdo.

—¿Cuántos amantes... permanentes?

—No recuerdo.

—¿Más de tres, menos de treinta y tres... permanentes?

—Protesto.

—Por favor, responda la testigo.

—Algo así como...

Shaunessy había dicho a Ted que no serviría de mucho sacar a relucir la promiscuidad de la madre, a menos que fuese un caso extremo y eso era difícil probarlo. Era evidente que tenía otras intenciones.

—¿Ahora tiene un amante?

—Tengo un amigo.

—¿Es su amante? ¿Necesitamos definir los términos, o usted es la Virgen María?

—Protesto.

—Se acepta la protesta. Señor Shaunessy, ¿realmente pretende respuesta a una pregunta de ese carácter?

—Pido una respuesta directa a la pregunta directa. ¿La testigo tiene ahora un amante?

—Admito eso. Por favor, responda la testigo.

—Sí.

—¿Es permanente?

—Yo... no sé.

El abogado continuó presionando. ¿Cuántos empleos permanentes había tenido? Cuando viajó a California, ¿había sido para establecerse de manera permanente? ¿Lo mismo cuando regresó a Nueva York para ver al niño? ¿Y su segundo viaje a California? ¿Y ahora otra vez a Nueva York? ¿Todo era permanente? Estaba atacando la estabilidad de la testigo, y Joanna flaqueaba, comenzó a balbucear, se mostró imprecisa:

—Yo no..., no lo sabía... en ese momento... —Tanto bajó la voz que el juez tuvo que pedirle que hablara más alto.

—De modo que cuando usted habla de permanencia, en realidad ignoramos si usted se propone permanecer en Nueva York, o incluso retener con usted al niño, puesto que en toda su vida nunca hizo nada que fuera constante y estable, que pudiese considerarse permanente.

—¡Protesto! ¡Debo pedir que se impida al abogado presionar a la testigo!

—Bien, en todo eso hay una pregunta razonable —dijo el juez—. Señora Kramer, ¿piensa vivir en Nueva York de manera permanente?

—Sí —dijo ella en voz baja.

—Por el momento, no tengo más preguntas que hacer.

Gressen tenía derecho a repetir preguntas a la testigo, y trató de reconstruir cuidadosamente el baluarte de la maternidad, la palabra clave era «madre»: «Como soy la madre sentí que...». «En mi condición de madre podía comprender...». Tanto la testigo como el abogado la utilizaban como si desearan desencadenar una reacción automática en el juez. Repasaron los movimientos que Joanna había realizado para obtener la custodia del niño, el regreso a Nueva York, la búsqueda de empleo, el alquiler de un apartamento donde, «como soy la madre...», ella sabía que Billy iba a sentirse cómodo; las medidas jurídicas que ella había adoptado, consultar al abogado, presentar la petición, hasta la presentación ante el juez ese mismo día; y todo a causa de sus anhelos maternos, una serie de detalles destinados a demostrar el profundo compromiso de una madre equilibrada y responsable con su hijo.

Shaunessy inició una última serie de preguntas.

—Señora Kramer, ¿cómo puede considerarse una madre eficaz si ha sido un fracaso prácticamente en todo lo que ha hecho a lo largo de su vida adulta?

—¡Protesto!

—Se acepta la protesta.

—Preguntaré de otro modo. ¿Cuál es la relación más prolongada que usted ha mantenido en su vida, fuera de sus padres y sus amigas?

—Yo diría que... con mi hijo.

—¿A quien ha visto dos veces en un año? Señora Kramer, su ex marido..., ¿no fue la relación personal más prolongada?

—Sí.

—¿Cuánto duró?

—Estuvimos casados dos años antes de tener al niño. Y después cuatro años muy difíciles.

—¿De modo que fracasó en la relación más prolongada e importante de su vida?

—Protesto.

—Denegada la protesta.

—No fue un fracaso.

—¿Cómo lo denominaría? ¿Un éxito? ¡El matrimonio concluyó en divorcio!

—Creo que fue menos mi fracaso que el suyo.

—Felicidades, señora Kramer. Acaba de reformar la ley acerca del matrimonio. Señora Kramer, ¡se divorciaron los dos!

—Señor abogado, ¿tiene que formular alguna pregunta a la testigo? —preguntó el juez.

—Deseo preguntar en qué ha tenido éxito este modelo de estabilidad y responsabilidad. Señora Kramer, ¿fracasó usted en la relación personal más prolongada e importante de su vida?

Joanna guardó silencio.

—Por favor, señora Kramer, conteste a la pregunta —dijo el juez.

—No fue un éxito.

—No hablo de la relación... sino de *usted*. ¿Fue *usted* un fracaso en la relación personal más importante de su vida?

—Sí —dijo ella, con voz apenas audible.

—No hay más preguntas.

Joanna abandonó el estrado de los testigos; parecía agotada.

—No es fácil luchar contra la maternidad —dijo Shaunessy a su cliente—. Pero conseguimos algo.

Después de un aplazamiento para almorzar, la audiencia continuó y Sam Stern, el padre de Joanna, testimonió en favor de la demandante. Su papel en relación con Joanna fue servir como testigo ocular de la relación madre-hijo. Gressen limitó su línea de interrogatorio exclusivamente a esa área, y destacó sobre todo lo ocurrido el sábado anterior, cuando Joanna había llevado a pasear a Billy, y Sam y Harriet se habían reunido con ellos. Mientras escuchaba a Sam, que describía la tarde agradable y la desenvoltura con que Joanna trataba a su hijo, Ted comprendió que lo habían atrapado. Ese día había sido una emboscada. Los abuelos habían ido con el propósito específico de ofrecer precisamente ese testimonio. Shaunessy intentó repreguntar, pero no pudo socavar un testimonio tan limitado. En definitiva, todo se reducía a lo que el hombre había visto con sus propios ojos... la madre y el hijo se llevaban muy bien.

Cuando descendió del estrado de los testigos, Sam trató de pasar al lado de Ted sin verlo. Ted tendió la mano y aferró el brazo de Sam.

—¿Sam?

Stern agachó la cabeza. Sin mirarlo siquiera dijo:

—Ted, habrías hecho lo mismo por tu hija, ¿verdad? —y siguió caminando rápido.

Gressen no convocó a otros testigos. Había presentado un caso claro y sólido. La maternidad era la cuestión principal. La madre era la prueba fundamental.

Comenzó a desarrollarse la argumentación favorable al demandado. Charlie fue el primer testigo, y Shaunessy lo llamaba constantemente «Doctor» para dar más peso al testimonio El doctor atestiguó en favor del carácter de Ted, y de su capacidad como padre.

—¿Usted llegaría a confiarle a su propia hija?

—Lo hice y muchas veces.

Describió las salidas por la ciudad con los niños, y sus observaciones directas acerca del afecto del niño por su padre, del padre por su hijo. Con voz emocionada dijo:

—No creo que yo hubiera podido ser tan buen padre en esas circunstancias.

Gressen declinó repreguntar. Con una sonrisa, desechó el testimonio, como si lo considerase improcedente. Adoptó la misma táctica después del testimonio del testigo siguiente; era Sandy, la cuñada de Ted, que describió la preocupación de Ted por el bienestar de Billy, una actitud que ella había observado, y que dijo:

—El niño lo adora.

Después compareció Thelma, que estaba muy nerviosa. Cuando Shaunessy le preguntó:

—¿Qué ha visto que demuestre la competencia del señor Kramer como padre?

—La relación entre ambos —dijo ella, y casi se echó a llorar.

—Protesto, Señoría. Incluso con buena voluntad, la respuesta es más bien imprecisa.

—Se acepta la protesta.

—¿Puede recordar algún incidente particular que refleje el cuidado que el señor Kramer dispensa a su hijo?

—Lee para Billy, lo baña, juega con él, lo quiere, es un hombre muy bondadoso... y si los viera juntos... nadie se hubiera atrevido a hacer este juicio... —y se echó a llorar.

Shaunessy dijo que no deseaba hacer más preguntas. Durante un segundo pareció que Gressen deseaba repreguntar a Thelma, pero un hombre que apoyaba su argumentación en la maternidad seguramente consideraba improcedente afrontar las lágrimas de una madre; de modo que declinó interrogar a la testigo.

Jim O'Connor dijo que Ted Kramer era «muy respetado en su especialidad», y «un hombre a quien aprecio profundamente». Cuando terminó de atestiguar en favor de la competencia y el prestigio profesional de Ted, Gressen decidió abordar a este testigo.

—Señor O'Connor, esta persona de la cual usted dice que es tan excelente en su trabajo, un profesional tan destacado, ¿no es la misma a la cual usted despidió... dos veces?

Ted se volvió para mirar a Shaunessy. ¿De dónde habían obtenido esa información?

—No es así, exactamente —dijo O'Connor.

—¿Qué pasó, exactamente?

—Las empresas cerraron. Todos fuimos despedidos.

—¿Incluso este milagroso profesional?

—¡Protesto!

—Se acepta la protesta.

—No hay más preguntas.

Se llamó a atestiguar a Ellen, y en su carácter de maestra de primaria afirmó que la inteligencia y la vivacidad de Billy, de las cuales ella podía dar pruebas, eran el resultado del excelente papel de Ted como padre. Gressen la dejó pasar. Después Shaunessy presentó el informe de la psicóloga, que incluía también una opinión acerca del demandado: el departamento era «cómodo para el niño», y se juzgaba que Ted era «un padre competente». Llamaron a Etta Willewska. Shaunessy formuló una serie de preguntas acerca de lo que ella había visto en el hogar del demandado. Nerviosa, insegura de su propio lenguaje, la mujer habló con sencillez de la atmósfera de la casa:

—Es un niño muy cariñoso. Deberían ver cómo quiere a su papá. Yo puedo llevarlo a la escuela, pero les gusta ir juntos.

Gressen, preocupado por ese testimonio, decidió repreguntar:

—Señora Willewska, usted es empleada del señor Kramer, ¿verdad?

—¿Cómo?

—El le paga, ¿no es así?

El sarcasmo que el abogado empezaba a manifestar, en el sentido de que se había pagado a la mujer para que atestiguara, pasó completamente inadvertido para la señora Willewska.

—Sí, pero mi hermana cuida a Billy mientras yo estoy aquí.

—Este hombre le da dinero, ¿no es así?

—Sí, pero no sé cómo lo arreglará hoy —dijo ella, confundida—. Tal vez pague a mi hermana.

Cuando el abogado advirtió que tanto el juez como el taquígrafo sonreían ante esa inatacable ingenuidad, prefirió retirarse en lugar de provocar más simpatías hacia la testigo.

—No hay más preguntas —y dirigió una semisonrisa en dirección a Shaunessy, como expresión de respeto profesional: Amigo, esta vuelta es tuya.

Ted Kramer debía ser el último de la audiencia. La sesión se reanudaría por la mañana.

El testimonio comenzó a las nueve y treinta. Se prolongó todo el día y la mitad del siguiente. En la sala del tribunal estaba describiéndose nada menos que la vida de un hombre. Se remontaron al día de la partida de Joanna, a las decisiones que adoptó para atender al niño. Hallar una cuidadora, y mantener la estabilidad del hogar, y después la preocupación cotidiana de estar con el niño, y los virus invernales, y la vida social de un niño pequeño, los sábados lluviosos y los monstruos de las cuatro de la madrugada. Shaunessy formulaba sus preguntas con sentimiento y con pasión, como si éste cliente cuya causa defendía hubiera elevado de pronto la atmósfera de la sala, distanciándola de los mezquinos argumentos de gente movida por el odio. Parecía que exhortaba al juez a entregar un hijo a su padre. Mirad lo que hizo. Describió los arduos fines de semana, las ropas que había comprado, los libros leídos, los juegos jugados, el compromiso permanente, la profundidad de sus cuidados; hacia el final del testimonio sobrevino un cambio en la sala. Joanna Kramer, que hasta ese momento había ofrecido un rostro inexpresivo, imitando la indiferencia de su propio abogado, comenzó a escuchar, atraída por el testimonio y la acumulación de detalles, incapaz de apartar los ojos del testigo. Ted Kramer respondió a la última pregunta: por qué reclamaba la custodia, y entonces dijo:

—No me hago ninguna clase de ilusiones, ni pretendo que mi hijo me lo agradezca. Sólo deseo estar con él, como he estado hasta ahora, porque le quiero.

Se impuso un aplazamiento antes de las repreguntas; el juez se retiró a su despacho y Ted Kramer descendió del estrado y fue abrazado por su abogado y por sus amigos.

En las repreguntas, el abogado de Joanna comenzó a disparar preguntas a Ted acerca de las horas, los días y las noches durante los cuales se separaba de Billy, con qué frecuencia utilizaba los servicios de cuidadoras nocturnas, si dejaba al niño para acostarse con mujeres; el abogado intentaba impugnar la moral del testigo y su fidelidad al niño,

—No creo, y usted convendrá en ello conmigo, que debamos considerar parte de la atención del niño el tiempo en que usted está en casa y su hijo duerme.

—También entonces se está de guardia.

—A menos que en ese momento tenga usted una mujer en su cama.

—¡Protesto!

—Aceptada la protesta.

—Señor Kramer, ¿a veces ha tenido una mujer en su cama mientras su hijo dormía en la habitación contigua?

—Supongo que sí.

—Yo también.

Ted consideró que se trataba de una táctica grosera y un ataque formado de sobrentendidos y medias verdades, pero también su abogado había apelado a esos recursos con Joanna; y como había dicho Shaunessy, era un juego sucio. Ahora, Gressen atacó con fechas y lugares los antecedentes laborales de Ted. Ted comprendió que habían contratado a un detective privado para hallar información contra él.

—¿Cuántos meses estuvo ahí, señor Kramer...? Entonces, ¿cuántos empleos tuvo en los dos últimos años?

Lo que Ted había creído un éxito, encontrar trabajo, el abogado quería convertirlo en un defecto de carácter, destacando que todo se originaba en que Ted había perdido el empleo.

—Ahora estoy en *Mc Call's*. No creo que quiebren.

—¿Cuánto tiempo hace que está allí?

—Dos meses.

—Pues le daremos tiempo.

—¡Señoría, protesto!

—Señoría, sólo estoy examinando los antecedentes laborales de este hombre. Pretende que es un individuo capaz, y no puede conservar un empleo. Si el testigo desea refutar esas fechas...

—¿Son exactas, señor Kramer?

—Sí, pero eso no es todo el...

—No hay más preguntas.

Cuando le tocó el turno, Shaunessy trató de reforzar la posición de su cliente: ¿Acaso el movimiento de personal no era endémico en la especialidad? ¿No había mejorado su nivel profesional en el curso de los años? La vida social adulta y la utilización de los servicios de cuidadora, ¿no eran prácticas usuales? ¿Pensaba volver a su casa esa noche, después de la audiencia, para atender las necesidades de su hijo, como había hecho siempre desde que la esposa había abandonado el hogar?

El abogado de la demandante tuvo oportunidad de volver a preguntar:

—Señor Kramer, ¿no es cierto que su hijo casi perdió un ojo mientras estaba a su cuidado?

Durante un momento, Ted no alcanzó a entender la pregunta. Se refería al accidente.

—Pregunto, señor Kramer, si el niño se hirió mientras estaba con usted, y ahora está permanentemente desfigurado.

De pronto, Ted Kramer sintió que se enfermaba. Miró a Joanna. Ella ocultaba el rostro y se cubría los ojos con las manos.

—Señoría, el abogado está formulando una pregunta que no tiene que ver con el juicio.

—Mientras el niño estaba al cuidado del testigo, se hirió gravemente en la cara y ahora tiene una cicatriz.

—Abogado, ¿está planteando un problema de negligencia?

—Sí, Señoría.

—Comprendo. Bien, en ese caso, necesita más elementos. ¿Tiene certificados que confirmen la negligencia?

—No, Señoría, pero...

—Abogado, se trata de un incidente aislado, a menos que usted pueda demostrar lo contrario.

—¿El testigo niega que haya existido la herida?

—No, abogado, no permitiré que continúe esta línea de interrogatorio.

—En ese caso, no tengo más preguntas que hacer.

Ted bajó del estrado, y aún experimentaba una sensación de náusea. Caminó con pasos lentos hacia Joanna y se detuvo frente a ella.

—Joanna, no he visto nada tan bajo...

—Lo siento —dijo ella—. Lo mencioné de pasada. No pensé que lo usaran.

—¿Eres sincera?

—Créeme, Ted. Jamás lo habría usado. Jamás.

En realidad, los hechos la habían sobrepasado. Ambas partes tenían sus abogados, los abogados practicaban tácticas, y los abogados y las tácticas tenían vida propia. Y ahora, ambas partes habían infligido y recibido heridas.

La audiencia por la custodia del niño concluyó con la argumentación final de los abogados, que era un resumen de los puntos principales de la posición de sus respectivos clientes. El demandante y el demandado no volverían a hablar en la sala, ni al juez ni entre ellos. El abogado de la demandante exaltó los méritos de la maternidad, «esa fuerza única y vital», dijo, «comparada con la cual no hay sobre la Tierra nada que sea más importante». Como parte de su argumentación señaló que era «antinatural separar de su madre a un niño tan pequeño, antinatural que un niño estuviera con el padre cuando la madre evidentemente estaba capacitada, y está dispuesta a ofrendar el cariño y la atención especial de una madre». El abogado del demandado defendió la paternidad. «El amor paterno es un sentimiento poderoso —dijo—. Puede ser tan profundo como el amor de la madre, según lo hemos visto en el testimonio ofrecido en esta sala.» Y arguyó específicamente en defensa de la paternidad de Ted Kramer. «En este caso sería cruel e injusto anular la custodia —dijo hacia el final de su argumentación—. La custodia corresponde al cálido hogar de su padre cariñoso, un hombre cuya capacidad está demostrada por la conducta misma exhibida estos años.»

Y así concluyó todo. El juez debía decidir. Analizaría los testimonios, se guiaría por los hechos y la ley, y daría su fallo. El juicio no mostraría una culminación dramática. No habría personas con el ceño fruncido que oyesen el fallo, aferrasen los bordes de las mesas, como en las películas que representan casos judiciales. El fallo no se leería en la sala. Se publicaría rutinariamente en un periódico legal, distribuido entre los abogados, y éstos telefonearían a sus clientes. El anuncio con la identidad del padre que podía retener al niño sería una fórmula fría, casi neutra, pero sería obligatoria.

DIECINUEVE

No se alejaba del teléfono más de quince minutos. También era el centro de información que calmaba la ansiedad de otras personas. Entre ellas, su madre, que telefoneaba diariamente desde Florida.

—¿Sabes algo?

—Cuando me entere te lo comunicaré.

—Por favor, hazlo.

—Mamá, así no alivias la tensión. Quizá fuera mejor hablar con ella.

—¿Con ella? De ningún modo. Te llamaré.

Rememoró la audiencia judicial, meditó la estrategia de su abogado, criticó sus propias respuestas en el estrado de los testigos, y en definitiva se sintió satisfecho del desarrollo de su caso.

Durante los días que siguieron a la audiencia, se comportó tal como se había explicado en la sala, una conducta que era la normal en su vida. Pasó sus días trabajando y en el departamento, con su hijo. Pero las horas pasaban más lentamente que nunca, con más lentitud que cuando estaba sin empleo, más lentas incluso que sus primeras tres semanas en Fort Dix, en aquella ocasión en que se extraviaron sus órdenes y tuvo que permanecer en el centro de recepción, oficialmente en el ejército y al mismo tiempo afuera, todo un período que no se computaba según los fines del entrenamiento básico. Esto era parecido, pero peor, un tiempo que importaba únicamente porque lo acercaba al fallo del juez.

Se acercaba un fin de semana de tres días, el aniversario de Washington, y Larry y Ellen propusieron abrir la casa de Fire Island. Como no había agua ni calefacción, instalarían una suerte de campamento en la casa, con sacos de dormir. Billy dijo que era «una gran aventura» y para Ted representaba la oportunidad de pasar un largo fin de semana y de llegar al próximo día laboral en que de nuevo comenzaría a esperar la comunicación del abogado.

A medida que se acercaba el momento de salir de la ciudad le entusiasmaba cada vez menos la idea de pasar las noches en un chalet de verano sin calefacción, al lado del océano, en invierno; pero Billy estaba muy excitado, y ya había conseguido pilas nuevas para su linterna, cosa que le permitiría ver a las mofetas y a los mapaches alrededor de la casa, durante la noche; y había afilado su cuchillo de explorador para pelear con los osos salvajes. A Ted le divertía la posibilidad de repetir el juicio sobre la base de nuevas pruebas; a saber, el padre a quien se le congelaba el trasero por hacer el gusto de su hijo.

El viernes, un día antes del fin de semana, llamó su abogado.

—Ted, soy John.

—¿Sí?

—Ted, ya se conoce el fallo.

—¿Sí?

—Hemos perdido.

—Oh, Dios mío...

—No puedo decirle cuánto lo siento.

—Oh, no.

—El juez favoreció sin vacilar el argumento de la maternidad.

—Oh, no. Es para volverse loco.

—También yo estoy transtornado. Lo siento mucho, Ted.

—¿Cómo puedo ganar? ¿Cómo?

—Es la madre. El noventa por ciento de las veces entregan el hijo a la madre. El porcentaje es todavía más elevado en el caso de los niños pequeños. Pensé que por lo menos esta vez podíamos obtener otro resultado.

—¡No!

—Es terrible.

—¿Voy a perderlo? ¿Voy a perderlo?

—Hicimos lo posible, Ted.

—No es justo.

—Lo sé.

—¡No es justo, John!

—Mire, le leeré el fallo. Lamento decir que los argumentos son los tradicionales: «En el caso *Kramer contra Kramer,* la demandante es la madre natural del niño, William, de cinco años y medio. En este juicio, reclama al padre la custodia del niño. El niño está en manos del padre desde hace un año y medio, como consecuencia de un juicio anterior de divorcio. El tribunal tiene en cuenta los mejores intereses dcl niño, y dictamina que los mejores intereses de este niño, que es muy pequeño, se verán satisfechos devolviéndolo a la madre.

»La demandante reside ahora en Manhattan, y ha adoptado medidas con el fin de crear un hogar apropiado para el niño. La determinación anterior de la custodia a juicio del tribunal no es concluyente, *Haskins contra Haskins.* La madre, que sufrió un estado de tensión en el momento del matrimonio, ahora muestra signos de ser persona competente y responsable. Consideramos que también el padre es una persona competente y responsable. Entre padres capaces y adecuados, el tribunal debe elegir el mejor camino posible, *Burney contra Burney.* El tribunal falla que los mejores intereses de un niño tan pequeño, *Robeline contra Robeline,* imponen dictaminar en favor de la demandante.

»Se ordena, se falla y decreta que se otorgue a la demandante el cuidado y la custodia del niño menor, a partir del lunes 16 de febrero. Que el demandado pague el mantenimiento y sostén de dicho niño, a razón de cuatrocientos dólares mensuales. Que el padre goce de los siguientes derechos de visita: Los domingos de once de la mañana a cinco de la tarde; y dos semanas en julio o agosto. Sin costas.» Y eso es todo, Ted.

—¿Eso es todo? ¿Qué me dan, los domingos de once a cinco? ¿Ese es el tiempo que puedo pasar con mi hijo?

—Por lo menos, no tiene que pagar las costas de su ex esposa.

—¿Y eso qué importa? Lo he perdido, lo he perdido.

—Ted, usted permanecerá en su vida, si así lo desea. A veces los padres pelean a muerte por la custodia y el que pierde ni siquiera visita al hijo, y nunca vuelve a verlo.

—De todos modos, llegaremos a ser como extraños.

—Eso no tiene por qué ser así.

—El lunes..., a partir del lunes. Es decir, ya.

—Además, no es una cosa definitiva. Si las condiciones cambiaran, usted podría demandarla judicialmente a ella.

—Claro.

—También podemos apelar. Pero aún así tendrá que cumplir el fallo. Y generalmente lo ratifican.

—Así que debo entregarlo, ¿no? ¿Tengo que entregarlo?

—Ted, lo siento mucho. Sinceramente creo que hicimos lo posible.

—Mi Billy, mi pequeño Billy. Oh, Dios mío...

—No sé qué más habríamos podido hacer.

—Es terrible. Y ahora, que dicen que no puedo tenerlo... *yo* debo hablarle... Oh, Dios mío.

Ted Kramer salió de su oficina, demasiado deprimido para trabajar. Fue a su departamento y se detuvo en el cuarto de Billy, tratando de aclarar cómo resolvería el problema. ¿Debería empaquetar en cajas toda la vida de un niño? ¿Dejaría algunas cosas para que las viera cuando fuera de visita? Trató de imaginar lo que podía decirle, cómo explicárselo.

Ron Willis, que actuaba como intermediario de Joanna, llamó después de tratar de comunicarse con Ted en la oficina. Se mostró cortés durante la comunicación telefónica; el grupo que asumía el poder se mostraba amable con el perdedor. Deseaba saber si el lunes por la mañana, a las diez, le parecía cómodo, y si Ted podía preparar una maleta o dos con las cosas principales de Billy. Después se arreglaría el traslado de otros juguetes o de los libros.

Etta regresó de hacer compras y Ted le informó

que se había otorgado a Joanna la custodia del niño. Le dijo que el tiempo que ella había pasado con Billy había sido muy valioso, y que Billy siempre podría apoyarse en el cariño que ella le había demostrado. Había decidido pedir a Joanna que conservase a Etta como cuidadora, y por supuesto la mujer dijo que estaba dispuesta a seguir atendiendo a Billy.

Después se dedicó a sus tareas en la casa, y a preparar la comida. Un rato después pudo oírla. Estaba en el cuarto de baño, llorando.

Billy no tardaría en regresar de la escuela, y Ted pidió a Etta que lo llevase un rato al parque. Ted tenía que terminar algunas cosas, y no soportaba la idea de verlo en ese momento. Comenzó a hacer llamadas telefónicas para informar a la gente, con la esperanza de que no fuese necesario explicar la situación a la secretaria, a terceros, al contestador automático; prefería limitarse a dejar un mensaje, y no verse obligado a conversar. Pensó que era mejor salir de la ciudad el fin de semana, de acuerdo con el plan, o por lo menos el sábado y el domingo. Ted podría alejarse del teléfono, y por otra parte Billy se sentiría muy decepcionado si se cancelaba la aventura. Después de dejar los mensajes, habló con algunos amigos, compartió el pesar general y llamó a su madre. Dora Kramer no empezó a aullar como él había temido.

—Joanna obtuvo la custodia —le dijo Ted.

Y ella comentó en voz baja:

—Me lo temía. ¿No volveremos a verlo? —preguntó Dora; en aquel momento Ted ignoraba qué derechos de visita asistían a los abuelos paternos.

—Mamá, te prometo que lo verás. Si es necesario, en el tiempo que me corresponde.

—Mi pobre hijo —dijo ella.

Ted se disponía a ofrecerle una frase tranquilizadora acerca de Billy, cuando ella dijo:

—¿Qué vas a hacer? —y entonces comprendió que su madre se refería a él.

El problema de Etta constituía una inquietud inmediata para Ted. Quería comunicarse con Joanna antes de que ella trazara planes. Si despachaba inmediatamente una carta, Joanna la recibiría por la mañana. No deseaba hablar con ella. Además, debía comunicarle otras cosas acerca de Billy. No podía prenderle un papel en la chaqueta, como si el niño hubiera sido un refugiado. Escribió: «Joanna: te envío esta cariñosa nota para informarte de William Kramer. Como verás, es un niño cariñoso. Es alérgico al zumo de uva, pero lo compensa sobradamente con el consumo de zumo de manzana. Pero no es alérgico a las uvas. No me preguntes la razón. También parece ser alérgico a la crema de cacao de la tienda de productos dietéticos, el cacao recién molido, pero no al que venden en el supermercado; tampoco en esto conozco la causa. A veces, por la noche, recibe la visita de monstruos o de un monstruo determinado. Se llama el Rostro. Por lo que sé, el Rostro se parece a un payaso de circo sin cuerpo, y por lo que dice el pediatra, y lo que yo leí, puede relacionarse con el temor sexual de perder el pene o con el miedo a su propia cólera, o ser simplemente un payaso de circo que vio en alguna ocasión. A propósito, su médico es Feinman. La mejor medicina para sus refriados es Sudafed. Los cuentos que prefiere son Babar y Winnie. Por lo menos hasta ahora, pero Batman está en ascenso. Lo ha cuidado la señora Etta Willewska, y ella es la principal razón de esta nota. Es una mujer cariñosa, responsable, muy preocupada por Billy, y tiene experiencia, en fin, todo lo que uno puede desear en una mujer así. Lo que es más importante, Billy la quiere y está acostumbrado a ella. Espero que no sientas la necesidad de empezar todo de nuevo, y deseo que no la excluyas. Creo que deberías utilizar sus servicios. Su teléfono es 555-7306, y creo que aceptará el empleo si se lo ofreces. Seguramente recordaré después otras cosas. Pídeme lo que necesites, creo que podremos hablarlo. Por ahora es lo único que se me ocurre. Trata de hablar bien de mí cuando estés con Billy, y pese a mis sentimientos yo trataré de hacer lo mismo por ti, ya que eso corresponde a "los mejores intereses del niño", como dicen ellos. Ted.»

Echó la carta y después fue al apartamento a esperar a Billy. El niño entró, el rostro sonrosado por el efecto del aire frío. Corrió hacia Ted.

—Papi, has venido temprano —y abrazó a su padre apretándole la cintura con los brazos. No podía decir al niño en ese momento que ya no viviría allí, ni pudo decírselo durante la cena, por última vez en el Burger King, ni a la hora de acostarse, cuando Billy apagó todas las luces para probar su «linterna superpotente de buscar mapaches». Al día siguiente, Ted continuó postergando el asunto durante el desayuno, y finalmente, cuando ya no pudo esperar más, mientras aguardaban la llamada de Larry y Ellen, pronunció el discurso.

—Billy, ¿sabes que tu mami vive ahora en Nueva York?

—Sí.

—Bien, a veces, cuando una madre y un padre están divorciados, discuten con quién debe vivir el niño, si con la madre o con el padre. Bueno, hay un hombre muy sabio a quien llaman juez. Y el juez sabe mucho de divorcios, y madres, y padres, y niños. El decide con quién debe vivir el chico.

—¿Por qué lo decide?

—Bien, es su profesión. Es un hombre muy importante.

—¿Como el director de la escuela?

—Más que el director. El juez se sienta en un gran sillón, vestido con su túnica. Este juez pensó mucho en nosotros, en ti, en mí y en mami, y ha dicho que será mejor que vivas con mami en su apartamento. Y yo tengo mucha suerte, porque, aunque vivas con mami, podré verte todos los domingos.

Y lo haré, Billy, te lo prometo. No seré una de esas personas de las cuales me habló Shaunessy.

—Papi, no entiendo.

Yo tampoco.

—¿Qué es lo que no entiendes, querido?

—¿Dónde estará mi cama, dónde dormiré?

—En casa de mami. Tendrás una cama para ti en tu propio cuarto.

—¿Dónde estarán mis juguetes?

—Enviaremos tus juguetes allí, y seguramente te comprarán otros.

—¿Quién me leerá cuentos?

—Mami.

—¿Vendrá también la señora Willewska?

—Bueno, no lo sé. Todavía estamos hablando de eso.

—¿Vendrás todas las noches a despedirte?

—No, Billy yo sigo viviendo aquí. Te veré los domingos.

—¿Y viviré en casa de mami?

—Todo eso comenzará este lunes. Tu mami vendrá a buscarte por la mañana, y te llevará allí.

—Pero, ¡habíamos dicho que saldríamos este fin de semana! ¡Lo prometiste!

—Iremos. Sólo que volveremos un día antes.

—Oh, está bien.

—Sí, está bien.

El niño dedicó unos instantes a evaluar la información y luego dijo:

—Papá, ¿significa eso que nunca volveremos a jugar a los monos?

Oh, Dios mío, esto ya es insoportable.

—Sí, querido, jugaremos a los monos. Seremos los monos del domingo.

Durante el viaje en automóvil a Long Island, los adultos trataron desesperadamente de que el fin de semana comenzara bien, y cantaron *Yo trabajé en el ferrocarril* y otras canciones. En los períodos en que no intentaban crear un clima de forzada alegría, Ellen volvía la cabeza hacia Ted y Billy y luego desviaba los ojos, porque no podía mirarlos. Tan pronto se dejaba de cantar, todos los mayores de cinco años y medio se mostraban solemnes. Billy hablaba sin cesar, fascinado por la vida invernal de la isla:

—¿Adónde van los pájaros? ¿Viven niños aquí? ¿El ferry rompe el hielo como esos buques del Polo? —y después callaba, pensativo—. Papá, tengo un secreto. —Y murmuró, de modo que los demás no oyeran—: ¿Qué pasa si el Rostro viene cuando estoy con mami?

—Mami está enterada del asunto del Rostro. Tú y mami tendréis que decirle que se vaya.

Durante el viaje en ferry, Billy miraba por la ventanilla porque en aquella aventura no deseaba perderse ni siquiera el movimiento de una ola; pero después su interés decaía y volvía a mostrarse aprensivo.

—¿Sabe mami que no puedo beber zumo de uva?

—Sí, lo sabe. No te dará nada que te haga daño.

Cuando llegaron a la isla, Billy convirtió las casas de verano vacías en un «país de fantasmas», e inventó un juego que él y Ted jugaron toda la mañana, buscando espectros, entrando y saliendo de los porches de las casas, asustándose el uno al otro y riendo. No hagas que sea un día demasiado feliz, pensaba Ted. Quizá sea más conveniente entristecerlo un poco.

El entusiasmo del niño era contagioso. Después del almuerzo, Larry y Ellen, avivados por el ron que los adultos habían bebido durante aquel día nublado y frío, también jugaron al país de los fantasmas. Después fueron todos a la playa. Terminada la cena, Billy tomó su linterna y salió a buscar animalitos, pero de pronto el país de los fantasmas se convirtió en una realidad concreta. El niño estuvo fuera apenas diez minutos, y las sombras y los ruidos de la noche lo impulsaron a regresar.

—¿Viste ciervos? —preguntó Larry—. Como sabes, hay ciervos en la isla.

—No en Ocean Bay Park —dijo Ted—. No les alquilan casa.

Se echaron a reír y a Billy también le pareció muy divertido.

—¿Te imaginas que los ciervos vayan a comprar a la tienda de comestibles? —dijo Billy, haciendo la broma propia de un niño de cinco años; y gracias a las risas, el ron, y el día al aire libre, todos se durmieron inmediatamente en sus sacos, riéndose hasta el último instante.

Domingo, último día. Ted y Billy se levantaron y bajaron a la playa para construir un castillo de arena. La playa estaba vacía. Esa última vez tenían la isla para ellos solos. Jugaron a la pelota en la playa, caminaron hasta la bahía y se sentaron en el muelle, y finalmente entraron en la casa para defenderse del mal tiempo. Ted y Billy comenzaron a jugar con palillos, el niño atento al juego, y al igual que antes su mente comenzó a distraerse. De pronto se volvió y miró a su padre con expresión extraviada. Ted Kramer comprendió que ahora debía ser el papá, por profundo que fuese su propio dolor, que tenía que ayudar al niño a pasar el momento.

—Billy, estarás muy bien. Mami te quiere. Y yo también. Y podrás decirle a todos lo que deseas, no importa de qué se trate.

—Claro, papá.

—Estarás muy bien. Vivirás con gente que te quiere.

Nadie rió durante el viaje de regreso en ferry. Ted sentía tan intensamente el dolor de la separación que apenas podía respirar.

En la ciudad, Larry y Ellen los llevaron hasta la casa.

—Ven a vernos, compañero —dijo Larry a Ted. Después, Ellen besó a Billy y le dijo—: Ven a visitarnos a la isla cuando gustes. Recuérdalo. Buscaremos ciervos en la tienda de comestibles.

—Tendrá que ser un domingo —dijo el niño, del todo consciente de la realidad.

Ted cuidó de que Billy se limpiase los dientes, se pusiera el pijama, y después le leyó un cuento. Le dio las buenas noches, tratando de mostrarse animoso.

—Billy, hasta mañana.

Intentó ver una película por televisión, pero gracias a Dios estaba agotado. Después dirigió una última mirada al niño dormido. Se preguntó si tenía un excesivo compromiso sentimental con su hijo. Se dijo que quizá hasta cierto punto. Pero en definitiva eso era más o menos inevitable cuando uno estaba solo con un niño. Joanna acabaría igual. Llegó a la conclusión de que durante esos meses todo se había desarrollado como correspondía. Se sentía agradecido por lo que había vivido. Todo aquello había existido. Nadie podría arrebatárselo. Y tenía la sensación de que por eso no era el mismo. Sentía que había crecido gracias al niño. Ahora era una persona más cariñosa gracias al niño, más abierta gracias al niño, más fuerte gracias al niño, más bondadosa gracias al niño, y había vivido mejor lo que la vida podía ofrecerle... todo gracias al niño. Se inclinó y besó el rostro dormido y dijo:

—Adiós, pequeño. Gracias.

VEINTE

Disponían de varias horas antes de que llegase Joanna.

—Oye, amigo, ¿qué te parece si esta mañana desayunamos afuera?

—¿Me comprarás un bollo de crema?

—Después.

Ted Kramer ya dominaba todos los recursos del arte de ser padre.

Fueron a un bar cercano, y se sentaron en un reservado para desayunar. Pronto sería como los padres del domingo, buscando qué hacer fuera. Regresaron al apartamento y reunieron en dos valijas las cosas más importantes de Billy. Ahora sólo restaba esperar a Joanna. Ted dejó que Billy viese la televisión por la mañana en el dormitorio del propio Ted, mientras él leía el diario en la sala de estar.

Joanna se retrasaba. Eran las diez y quince. Ted pensó que por lo menos ese día tendría que haberse esforzado de modo que el asunto fuera menos doloroso. A las diez y media se paseaba de un extremo al otro de la sala. ¡Joanna, qué porquería! Hacia las once, comprendió que ni siquiera tenía el número telefónico de su ex mujer. El número no estaba en la guía. Trató de localizar a Ron Willis y no lo consiguió. Finalmente, a las once y veinte sonó el teléfono.

—¡Ted!

—¡Maldita sea, Joanna!

—Lo siento.

—¿Dónde demonios estás?

—En casa.

—¡Por Cristo!

—Ted, no voy a ir.

—¿Que tú...?

—No puedo.

—¡Joanna!

—No puedo ir.

—Joanna, ¿qué significa eso?

—Yo... no puedo... decidirme.

—¿Que no puedes decidirte?

—No puedo.

—¿Te refieres a esta mañana, hoy? Maldita sea, ¿qué mierda estás haciendo?

—No puedo... sencillamente no puedo.

Y se echó a llorar.

—¿Qué es lo que no puedes?

—Quiero decir... el tribunal... saber lo que hiciste... todo lo que significa... —Ted apenas podía oírla—. La responsabilidad...

—¿Y qué?, Joanna, ¿y qué?

—No estoy decidida.

—Joanna, ¡aquí tengo un chico con las maletas preparadas!

—Es un hermoso niño...

—Sí, lo es.

—Un hermoso niño.

—Joanna.

—Pensé que podía ser distinto. Pero cuando veo la realidad... quiero decir, cuando veo que tengo que hacerlo realmente...

—¿Qué? *¿Qué,* maldita seas?

—Creo que no soy una persona muy integrada. Supongo... las cosas que me llevaron a dejarte... todavía son parte de mí. Y en este momento no tengo muy buena opinión de mí misma.

—Joanna, ¿qué dices? Por Dios, ¿en *qué* quedamos?

—Ted, no puedo hacerlo. No puedo comprometerme a...

—¡Joanna!

—Es... es tuyo, Ted.

—¿Es mío?

—Yo lo quería. De veras lo quería...

—¿Hablas en serio?

—No iré, Ted. No iré por allí.

—¿Es definitivo?

—No volveré a pelear contigo por el niño.

—¿Puedo tener a Billy?

—No creo que ningún juez se oponga ahora... —y sus palabras se apagaron, cubiertas por hondos sollozos.

—Oh, Ted... Ted... Ted... Ted...

—Cálmate, Joanna...

—Sabes, creo que soy un fracaso. Un fracaso, como dijo tu abogado.

—Dios mío... Cuanto daño nos hemos hecho.

—Ted, puedes tenerlo. Es tuyo.

—¿Realmente mío?

—Sí, Ted.

—Oh, Dios mío...

—Sólo... ¿puedo pedirte algo?

—¿Qué, Joanna?

—¿Podré verlo de vez en cuando?

En aquel momento ella era tan vulnerable que Ted intuyó que podía destruirla con una palabra. Le hubiera bastado decir que no y ella se habría alejado. Pero no estaba en él hacerlo, y tampoco se creía con derecho a adoptar esa actitud.

—Ya arreglaremos algo.

—Gracias, Ted. Yo... no puedo hablar más —y Joanna interrumpió la comunicación.

Ted se apoyó en la pared, tan abrumado que las piernas ni siquiera podían soportar su peso. Se sentó en la mesa del comedor, aturdido, meneando la cabeza, tratando de creerlo. Billy era suyo. Después de todo lo que había pasado, era suyo. Permaneció sentado, las lágrimas corriéndole por la cara.

Cierta vez, Etta le había dicho que era un hombre muy afortunado. Ahora lo sentía, experimentaba alegría y agradecimiento, y comprendía que en verdad era un hombre muy afortunado. Se puso de pie y se acercó a las maletas preparadas que estaban en el vestíbulo, y sin dejar de llorar las llevó de vuelta al cuarto del niño.

Billy estaba mirando la televisión. Había que decírselo. Ted trató de dominarse, y después entró, apagó el televisor y se arrodilló frente al niño.

—Billy, mami acaba de llamar. Y... bien, Billy... después de todo, seguirás viviendo aquí, conmigo.

—¿Mami no viene?

—Hoy no. Te quiere. Te quiere mucho, pero todo seguirá igual que antes.

—¿De veras?

—Porque yo también te quiero, Billy —de nuevo se le llenaron de lágrimas los ojos—. Y... me habría sentido... muy solo sin ti.

—¿Quieres decir que seguiré durmiendo en mi cama?

—Sí. En tu cuarto.

—¿Con todos mis juguetes?

—Sí.

—¿Y mi Batman?

—Sí.

—¿Y mis libros?

—Todo.

El niño procuró entender.

—Entonces, ¿hoy no me voy?

—Eso mismo, Billy.

—¿Hoy vas a trabajar?

—No.

—Entonces, papá, ¿podemos ir al parque?

—Sí, Billy. Podemos ir al parque.

Aquel día hicieron las cosas de costumbre, fueron al parque, de regreso llevaron una pizza, vieron la serie *La leona de dos mundos*, Billy se acostó, y Ted Kramer cuidó de su hijo.

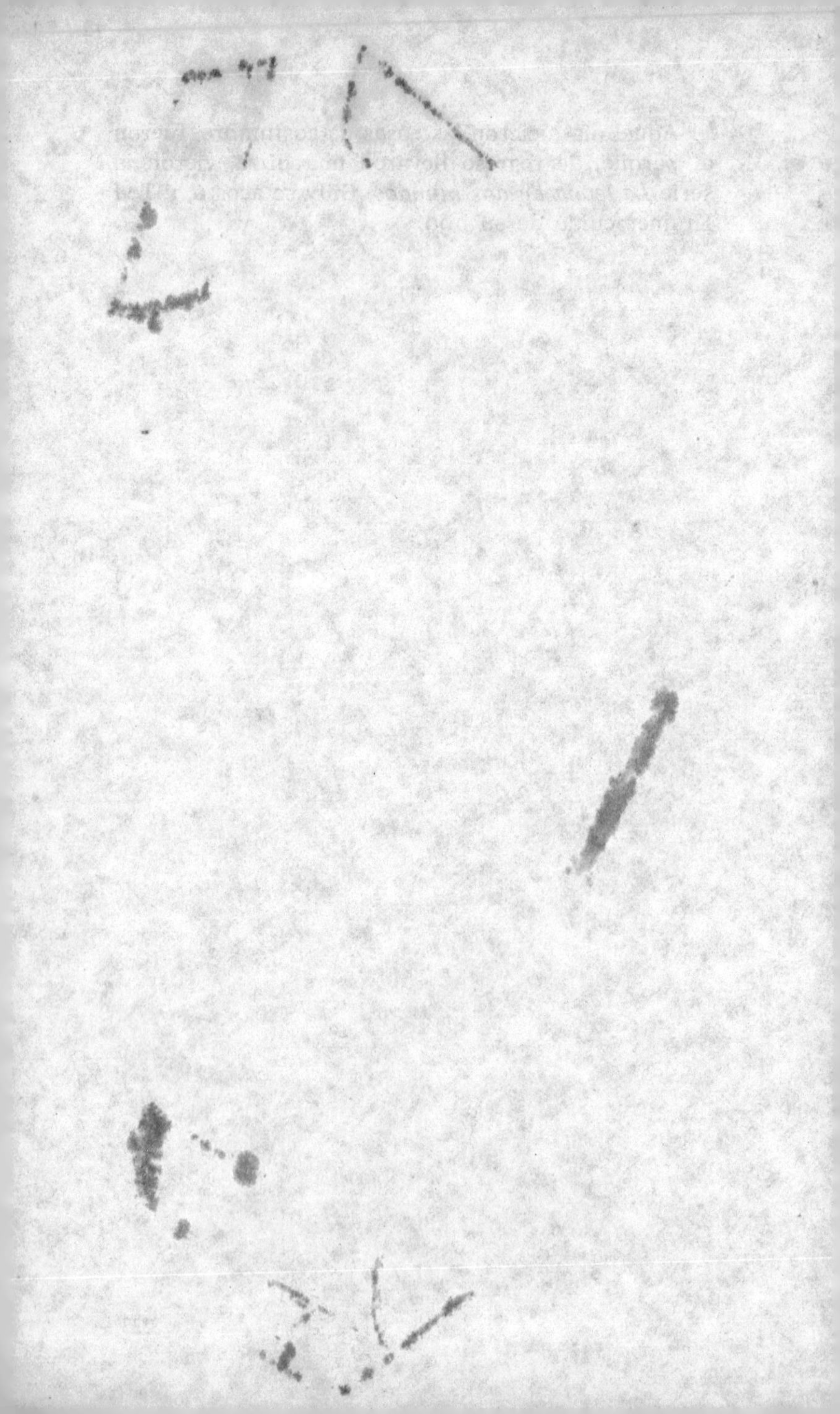